C000298099

Le
Livre
de
Poche
Jeunesse

Le premier roi du monde

L'épopée de Gilgamesh

Jacques Cassabois

« J'aime les personnages qui résistent, capables de secouer l'ordre des choses, de lever les énergies de chacun, d'entraîner derrière eux, riches d'ampleur, porte-parole des plus hautes qualités de l'homme. C'est ainsi que j'ai fréquenté Sindbad le marin, Gilgamesh le Sumérien, Tristan et Iseut, la lumineuse Antigone, chevauché aux côtés de Jeanne d'Arc, accompagné les troupes d'enfants de 1212, en route pour délivrer Jérusalem, partagé la colère des Hérissons qui défendent leur avenir face aux menaces des puissants, et admiré Héraclès l'Obéissant repousser ses limites pour ouvrir une voie directe qui relie la Terre au Ciel. »

www.jacquescassabois.com

Du même auteur :

- La création du monde
- Le premier roi du monde - L'épopée de Gilgamesh
- L'épopée d'Héraclès - Le héros sans limites
- Le chevalier Tristan
- Tristan et Iseut
- Antigone l'insoumise
- Jeanne
- 1212 La Croisade des Indignés
- La colère des Hérissons
- L'oiseau de feu - Sept contes de Russie
- Casse-Noisette et le Roi des Rats
- Sept contes de trolls
- Les mille et une nuits - ou le conte de Shéhérazade et de Shahryar
- Sindbad le marin
- Le joueur de flûte de Hamelin
- Dix contes de fantômes
- Dix contes de dragons
- Douze contes de princesses
- Dix contes de magie

Jacques Cassabois

Le premier roi du monde

L'épopée de Gilgamesh

À Zoltan et Svéwa
cette histoire où la volonté de vivre
emporte le dernier mot.

Préface

Cette histoire est très ancienne, parmi les plus anciennes connues à ce jour. 3 500 ans environ. Elle nous vient de Sumer, une province du sud de la Mésopotamie, l'Irak d'aujourd'hui.

Les Sumériens passent pour[1] avoir inventé l'écriture. Ils étaient donc bien placés pour créer des histoires qui exprimaient leurs espoirs, leurs craintes, leurs questions sur l'organisation du monde, la place de l'homme... Une fois gravés sur

1. Jusqu'à ce qu'une nouvelle découverte archéologique vienne remettre en question nos connaissances actuelles.

des tablettes d'argile, ces récits ne s'oubliaient plus et pouvaient se transmettre aisément, de mémoire en mémoire.

C'est ainsi que la folle épopée de Gilgamesh, roi de la ville d'Ourouk, est parvenue jusqu'à nous. Elle raconte la lutte éperdue qu'il engagea contre la mort quand il prit conscience qu'il devrait mourir lui aussi.

Pourtant, il connaissait la mort, puisqu'il était roi, chef d'armée, belliqueux, avide de conquêtes et de puissance. Chacune de ses victoires laissait derrière lui des jonchées de victimes. Mais la mort ne l'avait jamais touché directement. Donc il ne l'avait jamais bien vue.

Le malheur est toujours pour les autres. Quand on consent à l'envisager pour nous, on imagine qu'on trouvera bien une solution pour se tirer d'affaire... Cette illusion a traversé les millénaires.

Mais Gilgamesh, un jour, fut bien obligé d'ouvrir les yeux. Grâce à son seul ami, Enkidou.

Enkidou était un sauvage dont Gilgamesh l'invincible avait eu peur. Pour le vaincre, il avait conçu un plan diabolique : le civiliser.

Cependant, Gilgamesh n'avait pas prévu qu'une amitié allait naître entre eux, les lier, les transformer et les rendre indispensables l'un à l'autre.

Cette amitié leur donna des ailes et le monde, trop petit pour eux, se mit à vibrer de leurs exploits. Jusqu'au jour où les dieux, fâchés de leur arrogance, décidèrent de leur porter un coup d'arrêt, en leur rappelant qu'ils n'étaient que des hommes. La leçon fut terrible. Ils firent mourir Enkidou et subir à Gilgamesh la mort de son délicieux ami.

Alors Gilgamesh, serrant le corps d'Enkidou contre lui, hurla contre les dieux et jura de les affronter pour leur arracher l'immortalité.

C'est cette bataille de géants que les Sumériens ont gravée dans l'argile. Pouvaient-ils espérer qu'elle nous parviendrait et qu'elle nous ferait tourner nos regards vers les étoiles, comme ils les tournaient eux-mêmes, pour apprivoiser les mystères infinis de la vie ?...

Amitié, amour, ambition, gloire, orgueil, domination, peur, solitude, angoisse, désarroi... Les sentiments sont les vêtements indémodables de nos personnalités. Gilgamesh, *Le premier roi du monde*, les a taillés à sa mesure, endossés, usés jusqu'à la trame, avant de nous les léguer, intacts, remis à neuf, pour que nous les portions à notre tour.

J.C.

1

Asseyons-nous à l'ombre de cette haie...

Asseyons-nous à l'ombre de cette haie et laissons décliner les feux du plein midi. Je vais te raconter une histoire très ancienne. Et ce champ d'orge qui mûrit sous le soleil de la plaine pourra témoigner que je rapporte l'exacte vérité. Il la connaît et il n'y a pas de meilleur lieu pour conter. Aussi, installe-toi bien, face à moi, car je veux pouvoir te regarder en parlant.

C'est l'histoire d'un roi. Un roi si grand qu'il vaut à lui seul toute une race. Son nom ? Gilgamesh... Un peu compliqué à prononcer, n'est-ce pas ! Pas « Jil »gamesh, mais « Guil »gamesh. C'est un nom sumérien ! Entraîne-toi, fais-le rouler dans ta bouche, déglutis-le. Une fois, deux fois... Écoute-le emplir ta poitrine, se mêler à ton souffle, à ta vie...

Gilgamesh... Voilà, c'est beaucoup mieux...

Gilgamesh, donc, règne sur une ville de Mésopotamie : Ourouk. Une capitale puissante, redoutée de ses voisins et protégée par un rempart de briques hérissé de neuf cents tours. Une capitale fertile : mille hectares de jardins, de vergers, d'enclos pour le bétail, petit et gros, d'étangs poissonneux, de temples et de palais, de quartiers résidentiels pour les puissants, de quartiers populeux où la vie déborde dans les ruelles, d'ateliers où le four du potier n'a jamais le temps de refroidir, où l'osier n'est jamais inerte entre les mains du vannier, et la forge toujours incandescente pour fondre le bronze, couler les armes et les outils. Une capitale bruissante. Le grand fleuve Euphrate, après son périple depuis les neiges d'Arménie, s'y apaise avant d'épouser la mer. Et ses eaux, poussées par la rame tranquille des bateliers aux barques de roseaux, font partout chanter ce jardin de la création.

Voilà le domaine dont Gilgamesh est le maître.

Il le gère, le dirige à sa guise, le plie à sa volonté et ne rend compte de ses actes qu'aux dieux, les véritables propriétaires. Ils sont deux à se partager la vie et à la protéger. Anou, le plus grand de tous, et Ishtar, la Dame-du-Ciel, qui règne sur l'amour et aussi sur la guerre.

Pourtant, malgré cette protection, Ourouk ne connaît pas la paix car Gilgamesh ne lui laisse aucun répit. Il se conduit avec son peuple comme avec ses ennemis : brutal, autoritaire, violent. Le pays est à lui, avec tout ce qu'il contient : les terres et leurs fruits, les bêtes et leurs petits, les hommes, les femmes, les enfants. Il y puise à volonté, comme en un silo, selon ses désirs, ses caprices. Sa main est lourde et ses appétits dévorants. Il reprend les terres qu'il a données en récompense, crée sans cesse de nouvelles taxes, impose des corvées, diminue les salaires journaliers, payés en orge, en dattes, en huile de sésame... Et lorsqu'il quitte son palais, ses descentes en ville sont redoutées. Il débarque dans les quartiers avec ses courtisans braillards – des voyous –, provoque des querelles pour le plaisir d'étaler sa force et de casser. On suit sa trace aux échoppes sens dessus dessous, aux maisons éventrées, aux terrasses écroulées, aux cris, aux larmes, aux lamentations.

— Pauvres de nous ! Qui nous débarrassera de lui ?

— Il a besoin d'une leçon !

— Qui en viendra à bout ?

Mais personne pour oser l'affronter. Il le sait !

Pourtant, son arrogance et ses excès ne seraient rien s'il ne s'en prenait qu'aux biens. Il y a pire : les jeunes gens, qu'il enrôle dans sa troupe, pour guerroyer au loin, changés en fauves cruels, en barbares ; et les jeunes filles, qu'il couche dans son lit, pour son plaisir.

Alors, partout, dans les foyers où des jeunes ont déjà été abîmés, dans les foyers où la menace n'est pas encore tombée, les pères ruminent leur colère, les mères ravalent leur chagrin, et chacun, prenant les statues des ancêtres à témoin, appelle les dieux à l'aide, car il n'y a de recours qu'en eux.

Les dieux sont en effet les créateurs du monde : ils ont tiré de la Mer la première motte d'argile, dont ils ont façonné le monde. Ils ont mêlé leur sang à la boue et touillé ce mélange pour donner naissance à l'humanité. Ils ont doté les hommes d'un esprit, pour les protéger de l'oubli. Puis ils leur ont remis la houe, le couffin, le moule à briques, pour qu'ils fassent pousser les plantes et construisent le pays. Ils sont immenses et tout-puissants. Et même si Gilgamesh est leur préféré, ils ne peuvent ni rester sourds aux prières, ni demeurer insensibles aux offrandes qui, de toute la ville, s'élèvent vers leur résidence du Ciel.

Cela n'impressionne pas Gilgamesh. Il entend les dévotions et voit monter les fumées des sacrifices. Il sent le fumet des viandes grillées – moutons, béliers – et l'odeur du sang répandu sur les autels. Il rit. Il s'esclaffe. Tant de murmures contre lui, marmonnés par tous les silencieux-du-pays et pas un seul qui ait le courage de se dresser devant lui pour dire ses reproches à voix haute !

— Vous perdez votre temps ! Les dieux ne vous écouteront pas, ils sont de mon côté. Je leur ressemble. Je suis fier comme eux, orgueilleux, et j'ai déjà un pied dans le Ciel, car ma mère, Ninsouna, est la déesse du gros bétail. Et moi, son fils, je suis le Buffle d'Ourouk !

Sur la terrasse de son palais, Gilgamesh hurle ses sarcasmes sur sa ville et ses cris parviennent aux portes du Ciel, mêlés aux prières de son peuple dont la clameur recouvre l'horizon comme un manteau.

Les dieux entendent et voient. Ils se penchent sur la Terre. Ils écoutent avec attention, regardent et réfléchissent. Ils sont embarrassés.

Bien sûr, Gilgamesh est leur favori, c'est un demi-dieu, mais pour le satisfaire, peuvent-ils courir le risque de mécontenter tous les hommes ? Qu'ils viennent à se mettre en grève, les gens à la tête noire, brûler leurs outils comme jadis les dieux ouvriers, au tout début des temps ! Qui entretiendrait le domaine ? Plus personne pour curer les canaux, pour manœuvrer les chadoufs[1]... L'orge blêmirait dans son sillon, l'herbe des prairies jaunirait, la plaine se couvrirait de salpêtre et le pays tout entier serait grillé par le vent.

Alors, inquiets, les dieux battent le tambour de l'Assemblée, se tournent vers Anou, leur père à tous, et le prennent à partie.

— C'est toi qui as voulu Gilgamesh tel qu'il est, impétueux, dévastateur, à la toison d'orgueil épaisse comme la crinière du lion. Écoute gémir ceux qu'il persécute. Leurs plaintes s'élèvent comme une nuée, noire de poix.

— De tous les hommes qui sont passés par le moule d'Arourou[2] la Grande Mère, répond Anou,

---

1. Appareil à bascule servant à tirer l'eau des puits, des fleuves ou des canaux d'irrigation.

2. Dans la mythologie mésopotamienne, Arourou était la grande Déesse-mère qui avait créé les hommes avec Ea. Elle porte d'autres noms : Mammitou, Mah, Bêlit-ilî qui signifie « Dame-des-dieux », Nintou : « Dame-de-la-mise-au-monde ».

il est le mieux pétri, le mieux cuit, et je ne ferai rien qui puisse l'endommager.

— Il ne s'agit pas de l'endommager ! Le contenir tout au plus, le freiner. Lui montrer que nous surveillons le monde d'En-bas, que rien ne nous en échappe et que c'est nous qui écrivons la tablette de son destin !

— Cela redonnera espoir aux hommes. Faute de quoi, ils cesseront de croire en nous...

Anou écoute ses collègues argumenter. Son regard bleu de lapis-lazuli[1] les fixe avec intensité. Il joue avec les boucles de sa barbe frisée. Seul, dans sa splendeur magnifique, il cherche une solution, puis il se tourne vers Ea, l'ingénieur des dieux, le grand inventeur, et laisse tomber un mot :

— Rival !

Ea voit aussitôt comment transformer l'idée d'Anou en plan d'action. Il se lève, s'approche d'Arourou la Grande, s'accroupit devant elle et pose ses deux mains sur son vieux ventre plat.

— Mère Sublime de tous les prototypes, ton moule est-il encore assez gras ? lui demande-t-il. Peut-il encore enfanter la vie ?

---

1. Pierre d'un bleu profond, utilisée en joaillerie et que les Sumériens incrustaient dans les statues de leurs dieux, pour figurer leurs yeux.

Arourou la Vénérable sourit. Ses yeux brillent à l'idée d'une nouvelle aventure.

— Avec ton concours, Ea, je suis capable de tout !...

Alors, ils quittent l'Assemblée des dieux où le tambour a recommencé de battre, puis descendent sur la terre et disparaissent dans la steppe.

2

Regarde la plaine...

Regarde la plaine. Ici, de l'orge. Là-bas, du colza aux gousses presque mûres. Regarde la brise glisser sur les épis ; suis ses mouvements irréguliers. On dirait qu'une présence cherche un endroit pour se poser. Est-ce qu'un esprit anime le vent ? Drôle d'idée n'est-ce pas ? Mais regarde la plaine un instant en pensant à cela et tu la verras comme les Anciens la voyaient.

Maintenant, à partir de cette plaine, imagine la steppe. Elle est stérile. Des pâturages pelés, des buissons, quelques arbres figés, la poussière soulevée par un troupeau, le rugissement d'un lion, la fuite des gazelles, la fumée des feux de bergers et, au loin, la lumière dorée qui danse sur le fleuve...

C'est dans une steppe pareille qu'Ea et Arourou s'installent. La terre, ici, n'a pas la finesse des alluvions apportées par les crues de l'Euphrate. Elle est grossière, parsemée d'écorces et de graviers. Mais c'est le bon matériau pour l'œuvre qu'ils ont promis d'accomplir. Un homme rudimentaire. Un être tout d'un bloc, à la fibre compacte et dure. Une flamme brûlera en lui, mais charbonneuse, comme l'aube avant le lever du jour.

Ea, sans attendre, creuse comme s'il ouvrait un fossé dans le sol, puis crache dans la terre et commence à pétrir.

Jadis, pour la première fournée d'hommes, il avait fallu tuer un dieu et incorporer à l'argile sa chair et son sang. Pour ce nouvel être, la salive suffit. Elle est le levain qui fera gonfler sa pâte.

Arourou chantonne pendant qu'Ea malaxe. Son chant s'étend sur la steppe comme une tente, étouffe tous les bruits, endort chaque être animé. Les dieux sont seuls. Ils créent.

Lorsque du matériau monte une vapeur, Arourou prend la relève d'Ea. Elle modèle la créature et lui donne sa forme. Après quoi, elle cueille un rameau de tamaris et fouette le pâton inerte pour y éveiller la vie, puis elle rejoint Ea et tous deux observent à l'écart.

C'est l'instant du mystère. Quel être, réellement, se prépare à naître ? Sans doute, son destin est tracé : conçu pour servir de rival à Gilgamesh. Anou l'a dit. Mais ce destin, écrit sur sa tablette, comment l'accomplira-t-il ? Ea aime les hommes. Il ne manque jamais une occasion de leur venir en aide. Ils sont habiles comme lui, ingénieux, capables de prouesses, et chaque fois qu'en duo avec Arourou, il a créé un nouveau prototype, il n'a pu s'empêcher de rêver sur l'avenir...

Dans le grand corps immobile, la vie commence à chauffer. La terre croûte en surface. Des écailles sèches tombent. Une peau grenue apparaît sous la gangue. La poitrine frémit. Le souffle circule, cherche la narine.

Arourou et Ea se regardent. Leur créature est achevée et il est temps, pour eux, de quitter les lieux. Pendant qu'ils s'éloignent, le mystère se défait, la steppe retrouve sa mouvance et le nouvel être s'accroupit en grognant. Il hume le vent, se dresse sur ses jambes, fait claquer ses mâchoires.

Le sillage des dieux ne s'est pas encore refermé. Satisfaits de leur ouvrage, ils échangent, de créateur à créateur, leurs pensées intimes.

— Nous l'avons descendu du Ciel pour qu'il accomplisse notre plan, confie Arourou. La terre, dorénavant, n'est plus tout à fait la même.

— Quelque chose va changer, en effet. La créature est encore dans la nuit, mais elle connaîtra le jour. Enkidou...

L'être entend ces sons. Une ombre passe dans son regard. Il ne peut ni savoir, ni comprendre. Il n'est qu'au premier matin de sa vie et sa mémoire est vide, mais il aime ces harmonies portées par le vent. Il ouvre la bouche et souffle à son tour, en modulant le son.

— Ou... ou... ou...

Il s'étonne du bruit qu'il produit. Il s'interrompt, reprend, crie. Il est ému par ce pouvoir qui gonfle sa poitrine. Il soulève un pied, puis l'autre. C'est sa première joie. Il sent la résistance du sol, frappe pour l'éprouver, avance en se déhanchant et accomplit ainsi ses premiers pas, à la manière d'une danse.

Enkidou est né et le jour passe sur lui, chargé d'émotions inconnues.

*
* *

La nuit suivante, dans son palais, Gilgamesh se redresse sur son lit. Il suffoque. Un cauchemar vient de le réveiller. Il est troublé. Il n'arrive pas à en percer le sens. Favorable ou funeste ? Il appelle sa mère, la déesse Ninsouna, qui arrive aussitôt. Elle se tient, invisible à la tête de son lit et il se confie à elle, dans la pénombre de sa chambre.

— Mère, reine du gros bétail, voici : j'étais entouré par les étoiles et, soudain, une pierre tombée du ciel s'est écrasée à mes pieds. J'ai voulu l'enlever de là et, sans attendre, je l'ai prise à pleins bras. Mais j'ai été incapable de la soulever, moi, Gilgamesh. Ma force s'est changée en faiblesse. Alors, toute la population s'est rassemblée, comme des moucherons sur la rivière, pour fêter l'arrivée de ce bloc. Et toi aussi, tu étais là. Tu nous caressais. Tu nous appelais tes fils préférés. Explique-moi ce songe !

Une lueur, soudain, auréole la tête de Gilgamesh. C'est sa mère qui lui répond.

— Ton rêve est bon, mon fils. Les étoiles autour de toi, ce sont les dieux. Tu es toujours leur favori et ils t'ont envoyé un ami. Il est fort et puissant. Toi et lui, vous formerez un attelage irrésistible.

Gilgamesh se rendort rassuré. La nuit passe, puis le jour, tiré par le char du soleil, Shamash, puis une nouvelle nuit que traverse la barque d'argent de Sîn, la lune.

Gilgamesh, pour la seconde fois, réclame sa mère, car un autre rêve, plus étrange, le secoue.

— Cette fois-ci, je déambulais dans Ourouk. Un attroupement m'a attiré et je suis allé voir. Une hache était debout sur la place et tous l'admiraient. Même moi, quand je l'ai vue, je me suis prosterné devant elle et je l'ai embrassée, comme une épouse. Puis, je l'ai suspendue à ma ceinture et lorsque tu nous as vus, elle et moi, tu nous as appelés tes fils ! Ce songe est-il de bon ou de mauvais augure ? Dis-le !

— De bon augure, mon fils. Du meilleur ! Car cette lame est fertile. Elle va entailler ton cœur, comme celle du jardinier qui prépare une greffe. Il en naîtra une amitié robuste !

Puis sa mère disparaît, comme elle est apparue, à la manière imprévisible des dieux lorsqu'on les sollicite. Mais, malgré ces interprétations favorables, Gilgamesh demeure tourmenté.

Imagine cela, aussi ! Tu es un puissant de la terre. On te redoute, on t'évite. Tu as gagné toutes tes batailles et tu ne crains personne. Pourtant, un jour, un rival se présente et avant même de l'avoir vu, avant qu'on t'en ait parlé, tu le sens. Il est là, niché dans tes rêves. Alors, pour la première fois, tu t'interroges. Tu es comme une eau troublée par le limon. En alerte. Un événement va surgir et tu attends.

Et l'événement surgit !

Quelques jours après son second rêve, en effet, une nouvelle parvient à Gilgamesh. Le messager est un chasseur. Il est bouleversé lorsqu'il se présente au palais. Depuis plusieurs lunes, en effet, son territoire de chasse est dévasté. Les pièges qu'il creuse sont comblés, les filets qu'il tend sont déchirés. Plus une prise, plus une pièce à son tableau de chasse. Toutes ses ruses sont éventées. Lorsqu'il s'approche d'un gibier, même à contre vent, même couvert d'argile pour effacer son odeur d'homme, avant d'être à portée de flèche, l'animal s'enfuit. Comme s'il savait ! Comme si quelque chose veillait, lui donnait un signal !

Après avoir cherché la cause, il se trouve un jour, nez à nez avec elle.

— C'est un être, dit-il, qui marche sur ses jambes, ressemble à un homme et vit parmi les bêtes. Berger des gazelles, il ne les quitte jamais. Il les conduit aux points d'eau, les protège des lions qu'il chasse à mains nues, se perche dans un arbre pendant qu'elles broutent, les soulage de leur lait en les tétant à la mamelle. Sa peau est épaisse comme un cuir d'aurochs, couverte de poils, et ses cheveux emmêlés, souillés de terre et de brindilles, pendent en nattes grossières dans son dos et lui battent les fesses.

« C'est une force, une puissance. C'est une montagne vivante. Il te ressemble, Gilgamesh, Buffle d'Ourouk.

« Il m'a surpris, je creusais une fosse. Je l'ai vu, hirsute, puant, et sa colère, en voyant mon piège, s'est mise à cracher le feu épouvantable de son ventre. Je me suis enfui, mais ses yeux m'ont suivi. Ils sont là, devant moi, quand je parle : deux étoiles fraîches dans une face de nuit.

Gilgamesh écoute le chasseur et comprend.

Le voici donc, l'inconnu annoncé par ses rêves. La pierre tombée du ciel et la hache. Il est là. Gilgamesh le voit, tel que le chasseur l'a dépeint.

Il sent monter sa colère, le désir de se mesurer à lui, de l'abattre, et il élabore déjà un plan pour le casser.

3

Son plan est simple...

Son plan est simple. L'être est sauvage. Ce qu'il sait de la vie, c'est la steppe qui le lui a appris. Il sait se nourrir, mais d'herbe, de truffes du désert, de baies, de viande crue. Il sait parler, mais avec le vent dont il comprend les voix, les bêtes, la pluie, les traces laissées sur le sol. Sa force, il la puise dans la nature, rude comme lui.

Pour l'affaiblir, il faut donc le couper de sa source et, pour cela, lui faire entendre les battements de son cœur, l'attirer vers une nouvelle vie.

Gilgamesh quitte alors son palais et se rend au

temple d'Ishtar. Il y rencontre la prêtresse, première servante de la Dame-du-Ciel. Il lui dit :

— Va voir ce sauvage. Il vit dans la steppe parmi les gazelles. Il ignore encore qui il est. Il se croit animal. Apprends-lui qu'il est un homme. Éduque-le. Apprends-lui que tu es une femme. Laboure la terre de son cœur et sèmes-y l'amour. Quand ce grain aura levé, germeront après lui la dépendance, la peur de la solitude, la jalousie, les regrets, l'amertume... Ainsi, il perdra la force qui le rend compact. Amène-le-moi alors. Il se fendra et je pourrai le tailler comme bois de charpente.

La femme aussitôt s'apprête. Elle se fait belle et se parfume, revêt une simple tunique de lin, puis quitte son temple, quitte sa ville et s'éloigne, déterminée, vers la steppe, en mission pour son roi.

Là-bas, Enkidou joue avec ses gazelles. Tantôt galope à leurs côtés, tantôt les chevauche et les conduit. La femme voit la folle poussière soulevée par leurs ébats. Puis, la harde se calme, se rassemble autour d'un trou d'eau et boit. La femme s'approche. Parmi les museaux des bêtes qui lapent, une bouche d'homme aspire avec bruit.

Protégée par une touffe de buis, la femme observe Enkidou. Couvert de poussière, la sueur trace de longues traînées sur ses flancs. Il s'éclabousse en buvant. L'eau roule sur sa peau et accroche des diamants dans sa toison. Une puissance fait rayonner son corps, façonne ses muscles. Son odeur fauve se mêle à celle de sa harde.

Alors, sans un bruit, la femme sort à découvert et s'avance. Soudain les gazelles frémissent. Enkidou redresse la tête et, de l'autre côté de l'eau, voit la silhouette transparente dans le soleil. Aussitôt, il se lève en grognant et les bêtes, d'un même élan, s'écartent. L'aiguade[1] crépite d'éclaboussures et Enkidou, dégoulinant, reste face à l'inconnue immobile qui le regarde.

Elle tend la main pour le mettre en confiance et fait un pas. Enkidou veut grogner à nouveau, mais le bruit dans sa gorge s'adoucit malgré lui. C'est presque un soupir. La femme avance encore. Il bondit vers elle pour l'intimider, mais elle ne tressaille même pas. Il tourne autour d'elle, l'observe, la flaire, et son parfum de femme, si subtil, affole son nez habitué aux odeurs franches de la steppe. Une idée se forme dans sa tête : femelle ! Un frisson traverse sa poitrine et secoue son ventre. La femme sent qu'elle prend l'avan-

---

1. Lieu où l'on fait provision d'eau douce.

tage. Alors, d'un geste, elle dénoue le cordon de sa tunique qu'elle laisse tomber à ses pieds. Elle est nue, comme lui, et il reçoit l'émerveillement de sa peau. Il la touche, éprouve sa texture, l'effleure, la sent frémir, plus sensible que le cuir des gazelles sous sa main rugueuse. Et la femme, à son tour, le touche, l'effleure, cherche à faire naître une émotion sous sa croûte tannée par les intempéries.

Comment l'éblouissement jaillit-il ? Nul ne peut le dire. Ce sont les mystères des corps qui se cherchent. Enkidou, soudain, soulève la femme comme une brindille, l'emporte dans ses bras et la dépose au pied d'un buisson de tamaris. C'est alors que la femme, servante d'Ishtar, reine de l'amour, s'empare d'Enkidou et, par sa science des corps et des cœurs, le conduit, tâtonnant comme un aveugle, sur le chemin des sentiments humains.

Ils s'aiment tout le jour. Shamash, au firmament, les voit. Il convoque des vols de grues cendrées et de hérons. Ishtar envoie ses tourterelles. Tout le ciel applaudit. Le jour passe. Ils s'aiment la nuit et Sîn, depuis sa barque, les éclabousse d'une poignée d'étoiles. Et une nouvelle aube se lève, puis un nouveau crépuscule prend le relais...

Un grand vent souffle sur la steppe. Une tempête. Et la harde, qui s'est d'abord tenue à l'écart du couple, s'éloigne, comme repoussée par une force en train de naître. Elle se sent étrangère.

Six jours et sept nuits s'écoulent ainsi.

Au matin du septième jour, Enkidou se réveille. La femme repose à ses côtés. Il la regarde. Il se penche sur elle, hume la fleur de sa peau. Il n'ose la toucher. Mais la femme ne dort pas. Elle l'observe à travers ses paupières et voit sa retenue. Il est conquis. Elle sait qu'une partie de sa mission est déjà accomplie.

Enkidou se lève. Devant lui, la steppe. Elle lui semble plus vaste. Les gazelles broutent à distance. Il s'élance vers elles. Il veut leur dire sa joie nouvelle. Mais elles s'écartent à son approche et, comme il se précipite, s'enfuient au loin. Il veut courir à leurs trousses, chevaucher avec elles, inventer des jeux à l'image du feu qui fait flamber son cœur. Mais ses jambes ont perdu leur vigueur et il s'essouffle vite. Quelque chose en lui est brisé.

Épuisé, il renonce à les rattraper et se laisse tomber à genoux sur le sol. Il les regarde s'éloigner. Hors d'atteinte à jamais. Elles et lui, sur deux rives hostiles du monde.

Le feu dans son cœur est étrange. Sa brûlure, tout à l'heure, le jetait en avant. À présent, elle l'entrave et fait couler ses yeux. Pour la première fois, Enkidou pleure.

La femme s'approche alors. Elle s'accroupit devant lui, prend ses mains et plonge son regard dans le sien.

— Enkidou, lui dit-elle, tu vivais sur la terre, mais tu n'étais pas né. Maintenant, tu es achevé et ces larmes, c'est l'eau de ta nouvelle vie.

Enkidou écoute et ne comprend rien.

— Tu es un homme.

Il voit la bouche de la femme former le mot et essaie à son tour.

— Hom...

— Oui, homme. Et moi, femme.

— Fam...

Il touche sa poitrine, touche celle de la femme et, plusieurs fois, reprend, comme un chant qu'il invente, en se berçant.

— Hom... Fam... Hom... Fam... Hom... Fam...

Et la femme l'encourage à prolonger son chant par des caresses qui font surgir des émotions nouvelles et des mots plus élaborés...

Soudain, Enkidou se dresse, soulève la femme, la jette en l'air comme une offrande aux dieux, la réceptionne en riant et galope avec des rugissements de lion.

— Enkidou, homme... Femme, gazelle... Enkidou chevauche avec la femme...

Et leur cavalcade réchauffe Shamash, le soleil qui monte à son zénith.

La femme sait qu'elle va faire souffrir Enkidou. Cela fait partie de la mission que Gilgamesh lui a confiée. Mais elle parle.

— Il faut partir, dit-elle. Maintenant que tu es un homme, tu ne peux plus vivre dans la steppe. Je vais t'emmener en ville. C'est là que vivent les hommes. Tu y feras la connaissance de Gilgamesh. Un homme comme toi. Il sait que tu es né et il t'attend.

— Enkidou... Gilgamesh... Hommes...

Il écoute la musique des mots, puis en ajoute un autre.

— Partir !

Leur chemin vers Ourouk traverse des campements. Les bergers, déjà, connaissent Enkidou. La steppe, témoin de ses jours et de ses nuits d'amour, par ses mille voix, a clamé sa venue.

Ils y font une halte et la femme en profite pour parachever son œuvre : affaiblir Enkidou en le civilisant.

Elle lui apprend à manger le pain. Celui que les bergers cuisent en galette sous la cendre.

— Mange, lui dit-elle. C'est de la nourriture d'homme.

Et Enkidou, confiant, mange, puis grimace et recrache.

— Mange, insiste la femme en lui prenant la main. Tu es un homme. Le pain vient de l'orge et l'orge a poussé dans la terre qui lui a donné sa force. C'est ainsi que le pain nourrit les hommes.

Alors, Enkidou mâche à nouveau, avec difficulté, et s'applique comme un enfant obéissant.

Quand il a mangé le pain, la femme ouvre une gourde de bière et lui dit :

— Bois. C'est de la boisson d'homme.

Enkidou ne connaît que l'eau des sources et des mares. L'amertume de la bière le fait vomir.

— Bois, insiste la femme. La bière est brassée avec l'orge de la terre ; torréfiée, fermentée par la connaissance des hommes. En buvant la bière, tu bois la terre, tu bois la science des hommes. C'est tout le pays qui coule en toi et te désaltère.

Alors, Enkidou boit et laisse le pays irriguer son corps, puis quand il a bu, quand l'alcool commence à le griser, la femme décide de quitter les bergers.

Ils accomplissent ainsi la dernière étape du voyage et atteignent bientôt les remparts d'Ourouk.

À peine en ont-ils franchi la porte, qu'Enkidou est assailli. Par la foule, le bruit, l'étroitesse des rues qui l'oppresse, le mouvement. La femme ouvre le flot devant lui, se glisse, souple comme une couleuvre, légère dans sa tunique de lin. Lui suit avec lourdeur, embarrassé par le vêtement grossier qu'elle lui a confectionné, bousculé par les gens, par les troupeaux. Il redoute de se perdre. Il crie :

— Femme... Enkidou... Attends !

La femme se retourne, lui sourit et n'attend pas.

Mais quelqu'un l'a entendu appeler. Il le regarde et s'exclame en prenant ceux qui l'entourent à témoin :

— Enkidou !... Hé, voyez ! C'est Enkidou, le sauvage de la steppe ! Les dieux ont entendu nos prières.

Les voix de la steppe sont puissantes. Elles ont porté jusqu'à la ville pour annoncer la naissance d'Enkidou. De toutes parts, on s'approche, on le touche, on l'entraîne, et Enkidou, gauche, qui n'ose protester, se laisse mener par la foule en liesse. Il crie encore :

— Femme... Femme.... Enkidou... partir...

Trop tard. La lumière qui le guidait s'est éteinte. La femme a disparu. Alors, il hurle d'une voix rauque qui voudrait arracher son cœur tout neuf qui souffre.

— Femme !...

Mais les gens qui le poussent ne comprennent pas sa tristesse. Au contraire, ils s'émerveillent de sa vigueur et se réjouissent à l'idée qu'il va rencontrer Gilgamesh.

4

Gilgamesh, justement, est de sortie...

Gilgamesh, justement, est de sortie. En route, accompagné de sa bande, pour une de ces virées que les pères et les mères redoutent. Une noce a lieu et il s'y est invité. Il vient coucher avec la mariée, pour donner son avis sur ses qualités d'épouse. C'est un droit révoltant qu'il s'octroie. La terre, prétend-il, est plus féconde quand elle est ensemencée par le roi. La stupeur qu'il provoque dans les familles l'amuse toujours et il se réjouit à l'idée du mauvais quart d'heure qu'il va faire subir.

En chemin, pour se mettre en appétit, il bouscule un troupeau de chèvres en travers de sa route, piétine l'éventaire d'un jardinier qui vend ses légumes, démolit l'auvent de roseaux d'un cordonnier, à l'ombre pour tresser ses sandales.

La rumeur de son arrivée se répand aussitôt, comme un venin, et parvient jusqu'au groupe qui porte Enkidou en triomphe.

— Ça tombe bien ! Il faut en profiter pour lui régler son compte.

— Oui, Enkidou ! Fais-lui son affaire, à ce vaurien. Défends-nous !

— Protège nos femmes ! Oblige cette canaille à respecter les usages !

Enkidou est ivre de leurs cris, de leur excitation. Il sent l'exaspération, la colère des gens, leur désir de vengeance. Il les voit, serrés autour de lui, comme des moutons autour d'un abreuvoir. Ils ont soif de revanche et ils espèrent qu'il sera leur source.

Impuissant, il se laisse imprégner par la fièvre de la foule. Il n'est plus lui-même. Le peuple est entré en lui et il tremble de sa rage.

C'est alors qu'il rencontre Gilgamesh. Il a déjà dévasté la haie de clôture qui entoure la maison des noces et il s'apprête à fondre sur sa proie, avec sa nuée de vautours.

Enkidou, d'un cri, l'arrête :

— Homme !

La rue se tait.

Gilgamesh regarde Enkidou, le champion envoyé par les dieux. Malgré son accoutrement de sauvage, il lui ressemble, c'est vrai. À peine moins grand, mais trapu. Comme un bloc de diorite sans défaut, tout juste dégrossi par le burin du carrier.

— L'époux tient la main de l'épouse, dit Enkidou. Personne d'autre. C'est coutume.

La rue vibre de la colère d'Enkidou. Cela amuse Gilgamesh et il excite le colosse.

— Alors, qu'est-ce que tu attends ? Fais respecter la coutume !

— Enkidou fait !

Et il avance vers Gilgamesh. Il ne court pas. Il marche et son pas est lourd sur la terre battue, encombrée de détritus et de tessons. Arrivé devant Gilgamesh, il le saisit à bras-le-corps. Gilgamesh fait de même. Leurs mains claquent sur leurs flancs, leurs muscles roulent sous leurs poignes et se durcissent.

Serrés l'un contre l'autre, tendus, les deux

hommes écoutent monter leur fureur. Ils grondent :

— Je vais te réduire en ruine, comme une ville vaincue !

— Enkidou abattre ta montagne, l'aplanir comme steppe !

Et leur fureur explose soudain, sous la pression du flot de haine qui pousse. Les corps se déchaînent et les coups s'abattent.

Alors, la foule entre dans la bagarre à son tour, s'exclame, halète du même souffle que les lutteurs, hurle des encouragements à son favori, scande son nom :

— Enkidou !... Enkidou !...

Des imprécations s'envolent.

— Tue-le !

Noirs oiseaux de violence !

Les deux hommes sont isolés dans leur querelle. Ils n'entendent pas. Ils se repoussent, pour s'élancer à nouveau, s'attaquer, s'ébranler.

Ils ont changé de quartier. La noce est oubliée et la mariée. On les suit de loin, au mouvement des clameurs qui les accompagnent, à la nuée de poussière qui entoure leur combat. Des maisons sont saccagées. Des spectateurs bousculés s'écroulent en pleurant un membre brisé.

Bientôt, les géants parviennent sur la place principale d'Ourouk, devant les temples d'Anou et Ishtar. Ils prennent les dieux à témoin de leur duel.

Gilgamesh maîtrise l'art du pugilat. Il en possède toutes les astuces. Plus fin que son adversaire, il esquive, économise sa force et frappe à bon escient. Enkidou, lui, ne connaît pas la ruse. Il ne feinte pas, ne recule pas, ne se protège pas. Il encaisse et cogne, bélier obstiné, contre le rempart qu'il veut abattre.

Nul n'a encore pris l'avantage. Mais Enkidou a l'habitude des longs efforts et Gilgamesh s'irrite d'une telle endurance. Personne ne lui a encore tenu tête aussi longtemps. Cette résistance est déjà une mise en échec.

Alors, il s'emporte. Contre Enkidou. Contre lui-même. Il veut hâter la fin du combat, redouble de puissance. Et c'est lorsqu'ils sont engagés dans un nouveau corps à corps, comme deux taureaux qui ont enchevêtré leurs cornes, que Gilgamesh s'immobilise soudain, les pieds au sol, maintenu par Enkidou.

La foule n'en revient pas. Gilgamesh entravé

pour la première fois ! Déjà, elle vocifère des cris de joie vengeurs et des sarcasmes.

— Gilgamesh a trouvé son maître !

— Va jusqu'au bout, Enkidou ! Termine le travail !

— Débarrasse-nous de lui et prends sa place !

— Enkidou, roi d'Ourouk !... Enkidou, roi d'Ourouk !...

Mille poitrines reprennent ce cri, l'élèvent comme une prière devant le temple d'Anou, pour que le dieu la reçoive et l'exauce.

Enkidou entend la furie tout autour. Il hésite. Il regarde Gilgamesh, emprisonné dans l'étau de ses bras. Il voit sa noblesse. Il sent la vie dans sa poitrine. Un bruissement indéchiffrable où tant de voix inconnues se mélangent.

— Enkidou, roi d'Ourouk !...

Enkidou entend battre son propre cœur. Des mélodies simples y chantent et les choristes sont le vent, l'averse, les sources, les bêtes, le ciel, l'horizon... Comment un sauvage de la steppe pourrait-il régner sur une ville où vivent tant d'hommes ?

— Enkidou, roi d'Ourouk !...

Le doute, peu à peu, desserre l'étreinte d'Enkidou. Gilgamesh sent qu'il renonce. Il le regarde lui aussi, voit ses yeux et les mots du chasseur lui reviennent à l'esprit : « Deux étoiles fraîches dans une face de nuit ». La grande force d'Enkidou s'incline devant le Buffle d'Ourouk, renonce à la victoire, et Gilgamesh décide de tirer parti de cette faiblesse pour en finir.

D'un mouvement vif, il se dégage, puis saisit le poignet d'Enkidou et lève son bras en riant, comme on désigne un vainqueur.

— J'ai trouvé mon semblable ! lance-t-il par bravade au peuple qui l'a hué. Le voici ! C'est Enkidou, le Lion de la steppe !

La foule se tait, plombée par la stupeur. Quelques cris s'élèvent encore, çà et là, contre Enkidou maintenant. Sa démission. Sa lâcheté. Et des plaintes et des murmures.

— Les dieux nous ont abandonnés. Pauvres de nous !

— Le Buffle a fait alliance avec le Lion !

— Où nous conduira un pareil attelage ?

Les silencieux-du-pays retournent au silence, baissent la tête et s'en vont à leurs occupations.

*

* *

Comprends-tu leur désarroi ?...

Prends leur vie, fais-en la tienne et songe à eux un instant.

Ils souffrent de la tyrannie de Gilgamesh. Le danger pèse sur eux, à chaque instant. Le mépris, la mort. Ils cherchent une issue, en se tournant vers l'invisible où les dieux organisent tous les destins.

Ils s'adressent au ciel, prient avec ferveur et n'obtiennent jamais la moindre réponse, ni le moindre encouragement. Puis, un jour, les dieux se manifestent. Une étincelle jaillit qui se métamorphose en incendie d'espoir. Mais soudain, cet espoir s'éteint, sans les avoir comblés !

Qu'aurais-tu dit, toi ? Et qu'aurais-je pensé, moi, si nous nous étions trouvés, à cet instant, sur la grand place d'Ourouk ? Toi et moi, pâtre ou bien pêcheur, vannier ou mouleur de briques, charmeur de serpents, que sais-je encore, scribe... qu'aurions-nous ressenti ?

Nos vieux parents de Sumer s'étaient inventé des dieux pour chaque instant de leur existence, pour chacune de leurs tâches. Pour l'agriculture, le bétail, les produits de la mer, les digues, les voies d'eau, les céréales, la houe, le moule à briques, le travail du bois, celui des métaux, la vie pastorale, la bergerie, les poireaux et les oignons... Chaque dieu répondait à une question sur le monde et patronnait une activité. Tous ensemble, ils structuraient la vie quotidienne de Sumer.

Imagine à quel point les gens d'Ourouk ont dû se croire abandonnés lorsqu'ils ont vu Enkidou renoncer !

Imagine leur solitude, lorsqu'ils ont senti Anou, leur dieu protecteur, retirer la main qu'il leur avait tendue !

5

Pourtant, ce que l'homme craint, ce qu'il espère...

Pourtant, ce que l'homme craint, ce qu'il espère, n'arrive jamais de la manière qu'il croit et l'alliance entre Gilgamesh et Enkidou va décevoir toutes les attentes. Celles du peuple, comme celles de Gilgamesh.

Les dieux savaient-ils ce qui allait se passer ? Maîtrisaient-ils toutes les conséquences de la création d'Enkidou ? Je n'en suis pas certain et c'est peut-être leur accorder trop de puissance que de le croire. Je me demande même s'ils ne laissaient pas un peu de jeu dans leur création, pour que le hasard, ou la liberté des créatures, vienne y mettre son grain de sel.

Gilgamesh, en tout cas, installe Enkidou dans son palais, lui ouvre un appartement à côté du sien, avec des serviteurs à ses ordres. Il le fait baigner, parfumer, vêtir de neuf. Il veut qu'il soit bien. Il le dorlote.

Ses rêves lui avaient annoncé qu'il se ferait un ami d'Enkidou. Ils avaient raison. Gilgamesh, en effet, n'éprouve aucune rancœur à son égard, malgré la rudesse de leur première rencontre. Il ne redoute aucune rivalité de sa part, aucune traîtrise. Il a vu la fraîcheur de son regard et, dans ce regard, l'eau de son cœur.

Pourquoi Gilgamesh le destructeur se retient-il de souiller cette eau-là, comme il en a déjà souillé tant d'autres ? Pourquoi décide-t-il de la préserver ?

Enkidou mesure mal ce qui lui arrive. Gilgamesh l'entraîne dans un tourbillon d'activités. Il veut lui apprendre tout ce qu'il sait de la vie, de la gestion du palais, de la ville, comme s'il était son grand fils et qu'il l'éduquait pour sa succession.

Il le présente à sa cour, à son armée, à ses fonctionnaires. Il lui fait visiter ses domaines, lui offre des troupeaux, avec leurs pâtres et leurs bergeries, des étangs poissonneux, des jardins, des palmeraies. Il l'emmène en croisière sur l'Euphrate, jusqu'à la *mer d'En-bas*[1] où se termine le pays de Sumer.

Enkidou peine à le suivre. Parfois, il tombe de fatigue et s'endort. Alors, Gilgamesh s'inquiète de l'avoir perdu et lance tous ses serviteurs à sa recherche.

Au contact d'Enkidou, Gilgamesh change. Oubliés son esprit batailleur et son arrogance. Oubliés ses compagnons de beuverie et les mauvais coups d'après boire. Oubliée la terreur qui secouait les quartiers et épouvantait les honnêtes gens. Seul Enkidou compte : son éveil et son initiation à la vie de la cité.

Dans la ville, justement, on est surpris de la métamorphose du roi. On en parle.

— Le Lion de la steppe a brisé les cornes du Buffle.

— Oui, mais qui sait combien de temps cela durera ? Est-ce qu'elles ne repousseront pas plus longues et plus acérées ?

— Ils s'aiment ! Profitons de ce répit, en attendant qu'ils se querellent à nouveau !

---

1. Le golfe Persique.

Enkidou, lui aussi, a changé. Les bains et les onguents ont adouci sa peau, et les efforts de Gilgamesh, assoupli son esprit. Mais il s'ennuie. Il ne chasse plus pour se nourrir et il perd l'appétit. Il ne guette plus pour défendre ses gazelles et il relâche sa vigilance. Sa vigueur s'arrondit. Son acuité s'émousse. Il pense souvent à la femme qui l'a tiré de son pays. Il va jusqu'au rempart, regarde vers la steppe et cherche sa silhouette. En vain. Personne ne vient jamais.

Gilgamesh, pour lui plaire, lui offre d'autres femmes. Mais nulle ne lui fait retrouver le chemin de ces terres de soleil où la femme de l'aiguade l'a aimé.

En ville, on s'habitue à voir déambuler sa grande silhouette. On l'interpelle, on l'invite, on le flatte. Ici, on lui offre des pâtisseries ; là, de la bière. Et il accepte ce qu'on lui donne, écoute ce qu'on lui dit, comme un grand enfant orphelin qui ne sait rien refuser.

Gilgamesh s'inquiète de ce désœuvrement.

— Le meilleur pain de ville ne vaut pas la galette sous la cendre, songe-t-il. Et le palais à terrasses ne vaut pas le bivouac sous les étoiles. Enkidou a besoin de sentir le vent tordre sa chevelure, le soleil brûler le creux de ses épaules. Il a besoin d'entendre la terre parler sous ses pieds.

Bientôt, il entrevoit un projet. Fou ! Un plan hors du commun, taillé pour des géants. Il le confie à Enkidou.

— Nous allons partir en expédition !

— Partir, oui !... s'enthousiasme Enkidou. Partir !

— Un très long voyage, à travers la steppe, à travers le désert.

— Oui, voyage ! Steppe... Steppe...

Enkidou frémit d'impatience, applaudit.

— Il faudra quitter le Pays-entre-les-fleuves[1] et marcher encore jusqu'à la Montagne des Cèdres. Là, nous tuerons Houmbaba, le gardien de la forêt, puis nous massacrerons les arbres !

À l'évocation de Houmbaba, Enkidou se ferme soudain et sa joie tombe.

— Non !

— Quoi, non ?

— Non ! Houmbaba... mauvais...

Enkidou connaît la montagne. Jadis, depuis la steppe, il s'est aventuré jusqu'à elle. Il a vécu sous le couvert des arbres pendant plusieurs lunaisons,

---

1. La Mésopotamie. Étymologiquement, du grec *mésos* : situé au milieu, et *potamos* : le fleuve.

mais un jour, Houmbaba l'a découvert. C'est un monstre terrifiant. Il a plusieurs corps. Il attaque de partout en même temps. Il lance des roues de feu, ouvre des crevasses dans le sol, commande aux arbres qui se dressent sur leurs racines et courent pour chasser les intrus.

C'est ainsi qu'Enkidou est revenu dans la steppe, épouvanté, pour ne plus la quitter.

— Houmbaba... magique !... hurle-t-il en gesticulant pour mimer ses pouvoirs.

Et il répète « Houmbaba, magique ! Houmbaba, magique ! » pour convaincre son ami qu'ils n'ont aucune chance contre le monstre.

Gilgamesh le regarde revivre sa peur, puis il lui parle avec douceur.

— Calme-toi, Enkidou. À cette époque, tu étais craintif comme un animal et tu ne savais pas raisonner ta peur. Aujourd'hui, tu es un homme et je suis là, à tes côtés. Je vois que tu es malheureux. Ton ancienne vie te manque. Je veux t'aider à la retrouver, car tu t'abîmes à rester sans rien faire. Voilà pourquoi je te propose un grand projet ! Houmbaba est magique, tu as raison. Parce que les dieux l'ont choisi pour protéger leur forêt. Mais moi aussi, je porte l'étoile des dieux sur ma tête. Grâce à ma mère, la déesse Ninsouna. Alors, ensemble, nous avons une chance de vaincre. Une rude bataille nous attend, c'est vrai. Mais notre mérite sera plus grand d'avoir accompli cet exploit et nos deux noms se répandront sur tous les pays comme un raz de marée.

Enkidou écoute Gilgamesh sans en perdre une miette. Les mots, l'un après l'autre, le tirent de sa langueur et se fraient un chemin jusqu'à son cœur. Il y retrouve ses terres d'enfance, vibrantes, prêtes à l'accueillir. Il reste un instant silencieux à contempler Gilgamesh, puis son visage s'ouvre dans un sourire et il accepte.

— Gilgamesh... Magique !

6

Gilgamesh et Enkidou sont des fous splendides...

— Gilgamesh et Enkidou sont des fous splendides !

— Ils partent conquérir la Forêt des Cèdres.

— Ils vont tuer Houmbaba, son gardien !...

Dès que la décision est prise, elle est connue, aussitôt, et colportée dans tous les carrefours d'Ourouk. Le peuple s'enthousiasme pour ce projet de Gilgamesh. C'est la première fois. D'ordinaire, toutes ses campagnes sont saluées par des cris et des lamentations.

Une fête s'organise pour célébrer le départ des

deux battants. Elle se tient de l'autre côté du rempart, dans le temple où, chaque printemps, on réveille la terre de son sommeil. On veut que l'expédition soit féconde, qu'elle apporte une moisson de gloire pour la ville.

Les anciens sont présents avec leurs recommandations.

— Prends garde à ta fougue, Gilgamesh. Tu es jeune, mais ne compte pas seulement sur ta force. Houmbaba n'est pas un débutant.

— Sa forêt mesure six cents kilomètres de périmètre et il en surveille toutes les entrées. Il fera tout pour défendre le lopin que les dieux ont confié à sa surveillance.

— Surtout, creuse un puits chaque soir pour ne jamais manquer d'eau fraîche et écoute tes rêves. Leur voix est profonde. Elle parle juste.

Puis, après Gilgamesh, ils s'adressent à son compagnon :

— Tu connais le chemin, Enkidou. Marche devant et déjoue les pièges qui vous attendent.

Mais Enkidou n'entend pas. Son esprit est loin d'ici. Déjà sur le chemin. Quant à Gilgamesh, il s'évade lui aussi, de la prison des conseils. Il songe. Il sent la présence de sa mère, Ninsouna, à ses côtés. Il l'entend solliciter pour lui la protection de Shamash, le soleil.

— Shamash, je te confie mon fils. Veille sur lui. Ce qu'il entreprend, aucun homme ne l'a jamais tenté. Tu connais Houmbaba. Il souille ce qui est clair, pourrit ce qui est sain. Il est sans pitié. Mais les dieux l'ont fait ainsi. Ils l'ont posé à côté du bien, pour servir d'obstacle aux hommes, les obliger à réfléchir et à se dépasser. Aussi, donne un esprit clair à mon rejeton et des pensées tranchantes.

Et Gilgamesh, qui entend la prière de sa mère, prie à son tour.

— Shamash, je sais que tu me guides. Mais lorsque je douterai, rends-moi capable de t'écouter et de te comprendre.

« Assiste-moi. De toute ma vie, je n'ai rien fait de grand. Rien qui puisse rester dans les mémoires. J'ai utilisé ma force pour détruire, mon intelligence pour ruser et tromper.

« Aujourd'hui, grâce à Enkidou, mes yeux se sont ouverts. Favorise la réussite de mon projet et accompagne-moi. Sans toi, je ne suis qu'une terre sans eau, je le sais ; un sauvageon qui n'a pas été greffé.

Lorsqu'ils sortent du temple, leurs armes les attendent sur la terrasse. D'or et de bronze, elles ont été forgées pour l'occasion : une hache, un grand coutelas au manche de lapis-lazuli, incrusté de pierres fines, un arc, un plein carquois de flèches, un baudrier et une ceinture de cuir de buffle, cloutés d'or et d'argent.

Dix hommes s'affairent autour de chacun des deux vaillants, tant leur équipement est lourd à porter. Enfin, quand ils sont harnachés, ils lancent un dernier salut à la foule qui les acclame et ils s'en vont.

À la première enjambée, ils atteignent la steppe. À la deuxième, ils sont déjà hors de vue.

*

* *

Ils marchent. Ils dévorent le chemin. Enkidou ouvre la voie et donne la cadence. Gilgamesh se laisse conduire.

La steppe, sur son ventre, sent la caresse de leur passage. Elle reconnaît Enkidou.

— Oui ! C'est lui, le nourrisson que j'ai élevé !

Elle annonce son retour et la nouvelle, propagée par la terre, se répand. Les herbes s'inclinent et se passent le mot, de proche en proche ; les gazelles dressent la tête, le regard farouche. Le grand être qui les a quittées est revenu. Un lion bâille un rugissement tranquille. Les pollens roulent dans la lumière blanche et les serpents se tassent dans la poussière.

Chacun, à sa façon, salue l'enfant du pays, et Enkidou recueille ces témoignages dans l'air qu'il respire et s'en fortifie.

Il n'est plus le même et Gilgamesh, qui s'en aperçoit, observe la métamorphose. Il se délie. Son pas est souple. Il ne marche plus. Il glisse, il coule, il effleure la piste. Et son corps dialogue avec la steppe qui lui transmet son immensité. Enkidou ne s'épuise pas. Il se recharge.

Gilgamesh s'applique dans sa foulée. Maladroit, besogneux, il s'efforce d'imiter son guide, sans se laisser distancer.

Ils couvrent deux cents kilomètres d'une traite, font une halte pour manger un morceau, puis repartent, en abattent trois cents autres, avant de s'arrêter pour bivouaquer.

Shamash, le soleil, les a accompagnés tout le jour. Il tombe maintenant vers l'occident et s'apprête à disparaître dans la mer qui ceinture le monde. Sa promesse de revenir fait crépiter les sarments du ciel, puis il confie ses protégés aux grands astres de la nuit.

Enkidou ramasse du bois pour le feu. Gilgamesh pétrit les galettes d'orge, puis creuse un puits et trouve l'eau. Chacun se désaltère, se purifie les pieds pour faciliter les échanges entre son corps et les énergies du sol.

Ils mangent. Dans le soir, un francolin[1] cacabe. Appel tranquille d'un mâle qui rassure sa femelle. Enkidou, aussitôt en alerte, se dresse, délaisse son pain et ses dattes et se met en chasse. Il se mélange à l'air, à l'obscurité, aux parfums de la terre qui se relâche. Ce n'est pas un prédateur qui avance. C'est le vent qui écarte doucement les herbes.

Soudain, il se détend. Son mouvement le jette en avant. Un cri étranglé meurt. C'est la nuit. Enkidou réapparaît en riant, brandissant sa proie.

— Manger ! dit-il. Vraie nourriture !

La lumière du feu durcit les traits de son visage. À mesure qu'il plume la volaille, la chair dilate son odorat. Le duvet voltige. Soudain, il cède à l'envie de dévorer. Il mord, arrache une bouchée et

1. Grosse perdrix.

mâche la viande crue en passant le gibier à Gilgamesh.

— Forces de la steppe, Gilgamesh ! Prends les forces aussi !

Gilgamesh saisit l'animal, essaie de mordre à son tour, mais, écœuré, renonce.

— Enkidou mange la steppe, lui !

Il rit et continue son repas.

*

* *

Le lendemain, ils parcourent cinq cents nouveaux kilomètres, comme la veille. Soit le trajet couvert en un mois et demi par des hommes ordinaires. Ils marchent côte à côte maintenant – Gilgamesh a pris la bonne foulée – et ils survolent le pays, pareils à deux bourrasques.

Ils sont seuls et Gilgamesh, dans son silence, songe à la bataille qui les attend. Il se familiarise avec le monstre, s'efforce de l'apprivoiser par la pensée. Mais, à mesure qu'il se précise, l'obstacle ne cesse de grandir et Gilgamesh doute. Il veut connaître ses chances pour se rassurer et reprendre l'avantage. Aussi, chaque soir au bivouac, avant la chute du soleil sous l'horizon, Gilgamesh parle à son dieu.

— Shamash, la Forêt des Cèdres se rapproche et, avec elle, le grand combat. Quelles sont mes chances ? Est-ce que je vaincrai ? Ne me laisse pas dans l'incertitude. Réponds-moi. Envoie dans mon sommeil ton message de rêve.

Lorsque son ami a fini de prier, Enkidou le prépare pour dormir. Il trace un cercle sur le sol, dans lequel Gilgamesh s'assoit, la tête sur les genoux repliés. C'est dans cette position de l'enfant dans sa mère, qu'il dort jusqu'au matin. Pendant que son corps repose, son esprit voyage dans l'univers.

Quand il s'éveille, il se tourne vers Enkidou et, sans quitter le cercle magique, lui raconte son rêve.

— Je traversais un défilé dans la montagne et tu étais à mes côtés. Soudain, des rochers ont dévalé la pente. Une pluie de pierres s'est abattue pour nous engloutir. Mais une fleur, à l'intérieur d'une grotte, m'a attiré et nous sommes entrés pour l'admirer. C'est ainsi que nous avons été sauvés. Explique-moi ce songe, mon ami.

Alors, Enkidou fait sortir Gilgamesh du cercle pour qu'il quitte les énergies du sommeil et lui dit :

— Pas mauvais, ce rêve. La montagne, c'est Houmbaba. Il voit Gilgamesh et Enkidou. Il jette sa colère. La fleur, c'est Shamash. Il veille. Et la grotte, c'est le cœur de Gilgamesh. Houmbaba détruit tout avec sa force. Il ne détruit pas le cœur.

Après quoi, réjoui par cet heureux présage, il danse sur place en chantant.

— Pas mauvais ton rêve, Gilgamesh. Pas mauvais !...

Chaque matin, ils reprennent la route. Gilgamesh est rasséréné, Enkidou jovial. Chaque soir, tourné vers son guide intérieur, Gilgamesh réclame de nouvelles preuves de son succès. Toujours, Shamash lui répond. Et, que le ciel tonne dans son rêve, qu'un ouragan de feu les enveloppe, qu'Anzou le rapace géant cherche à les enlever dans ses serres, Enkidou, qui connaît le sens caché des rêves, rassure son ami en chantant :

— Pas mauvais ton rêve, Gilgamesh. Pas mauvais !...

7

Au septième jour de leur voyage...

Au septième jour de leur voyage, ils arrivent en vue de la Montagne qui porte la Forêt des Cèdres sur son dos.

Enkidou s'arrête et hésite. Sa terreur de jeunesse le réveille et le mord. Gilgamesh s'arrête lui aussi et regarde. La voici donc cette Forêt qui a enfiévré ses pensées. Il l'imaginait comme une vaste palmeraie, avec des arbres hauts, droits, un sous-bois clair, envahi par des herbes et des troupeaux de chèvres sauvages. Au contraire, c'est un pelage épais comme une cuirasse, hérissé, aux sombres reflets bleus. Elle couvre tout un versant de la Montagne qui se perd dans les nuées. Des éclairs pleuvent sur son sommet et des pans de brume déchirés glissent sur ses pentes, emportés par les roulements du tonnerre. Adad, le dieu de l'orage, vient ici chevaucher ses mulets.

Gilgamesh, l'homme de la plaine, est ému devant cette géante. Il hume la buée de son souffle aux arômes grisants et scrute ses abords, à la recherche d'une entrée.

— Regarde, dit-il à Enkidou, cette trouée sombre sur la lisière, c'est une porte. Franchissons-la !

Ils reprennent leur marche et, sans attendre, pénètrent sous le couvert.

La Forêt, aussitôt, les sent et donne l'alerte. Un vent léger glisse à travers les cèdres. Puis l'air se réchauffe et un grésillement crépite. Des étincelles jaillissent. Des arbres s'ébrouent devant eux, comme des bêtes mouillées. Des voix graves bourdonnent. Les vieux esprits des premiers âges du monde, endormis sous la terre, remontent à la surface.

— Houmbaba, maître de la Forêt ! prévient Enkidou. Il voit Gilgamesh. Il voit Enkidou. Il arrive.

C'est alors qu'un hurlement secoue la montagne. Le monstre a entendu et il approuve. Enkidou est épouvanté. Il regarde autour de lui. Houmbaba lui portera son premier coup. Il s'y attend et cherche de quel côté il va tomber.

— C'est nous qui allons l'abattre ! le rassure Gilgamesh.

— Non ! Houmbaba trop puissant !

Et pour lui faire comprendre qu'ils ont affaire à un être immense, Enkidou désigne le sol en le martelant à coups de talon :

— Peau de Houmbaba !

Il entoure le tronc d'un Cèdre :

— Poil de Houmbaba !

Il renifle, comme une hyène sur une trace :

— Souffle de Houmbaba !

Il ouvre les bras :

— Gilgamesh et Enkidou, dans la main de Houmbaba.

Et il se tait, à bout d'arguments, impuissant à convaincre son ami.

Gilgamesh le regarde avec tendresse. Il comprend sa frayeur. Il lui dit :

— Ne laisse pas la panique te démolir, Enkidou. Regarde autour de toi. Les Cèdres sont là.

Cette récolte à notre portée, tu repartirais sans l'avoir moissonnée ?

Enkidou reste buté. La Forêt a ressuscité son enfance lorsqu'il était sauvage. Il se croyait adulte. Mais l'enfant est toujours là et sa vigueur paralyse l'homme. Tous ses efforts pour s'élever n'ont servi à rien. Il est déçu de lui. Il a honte.

— Enkidou, insiste Gilgamesh, tous les hommes doutent. Moi aussi, sur la piste, rappelle-toi. Et qui m'a redonné confiance ? Toi, mon ami. Tu m'as guidé et je ne me suis pas égaré. Tu as déchiffré mes rêves et j'ai été stimulé. Tu m'as appris ta steppe magnifique et je me suis efforcé d'être ton élève ! Toi et moi, nous sommes deux torrents furieux. Crois-moi. Nous vaincrons !

Voix suave de l'amitié, plus douce que le miel. Enkidou se laisse convaincre et accepte de repartir.

C'est alors que Houmbaba se déchaîne.

Des explosions de terre et de roches ébranlent le sol qui se fend. Des ronces jaillissent des crevasses et les frôlent en sifflant. Des plaintes s'élèvent qui tournent en rires, puis en cris. Des arbres se fracassent.

— Montre-toi vraiment ! hurle Gilgamesh. Cesse de t'abriter derrière ta magie, lâche !

— Mais je suis là. C'est toi qui ne sais pas me voir.

Une ombre bondit, se glisse derrière eux et creuse dans son passage un gouffre glacé qui manque de les engloutir.

— Cesse de jouer ! Revêts ta silhouette humaine et relève notre défi !

— Puisque tu y tiens !... répond Houmbaba. Me voici !

Alors, de sept directions, sept roues de feu surgissent dans la Forêt et se rejoignent en une seule, en mélangeant leurs flammes.

Enkidou s'écrie, serrant sa hache à deux mains devant lui :

— Esprit de Houmbaba !

Une silhouette apparaît qui semble flamber. Le feu pénètre en elle, s'y installe et son intensité, peu à peu, décroît, absorbée par l'intérieur de l'être. Refroidi en surface, un corps se révèle enfin. C'est Houmbaba le monstre.

Campé sur ses pattes de taureau, sa gueule de lion rit à gorge déployée de la frayeur d'Enkidou.

— Tu as voulu me présenter ton enfant chéri, Gilgamesh ! Il a bien changé depuis la dernière fois que je l'ai vu. Il a appris à parler. Bravo !... Mais il n'a pas cessé de trembler...

Cette ironie blesse Enkidou. Il se ramasse comme un félin et bondit, hache levée, pour faire taire Houmbaba le hideux.

Sans bouger, celui-ci, d'un cri, l'envoie rouler cent pas en arrière.

— Ne te mêle pas de la conversation des grands, bestiole ! Laisse les hommes parler entre hommes !

Gilgamesh ne se laisse pas impressionner. Il répond aussitôt :

— Et toi, Houmbaba ! Quelle sorte d'animal es-tu ? Emprisonné dans la Forêt par les dieux, quels seraient tes pouvoirs si tu en sortais ? Incapable d'évoluer, tu ne serais plus rien. Enkidou, lui, était enfant dans la steppe. Il a su la quitter, grandir dans la ville et rayonner !

Pendant qu'il parle, un vent se lève, glacial, tranchant, venu du nord. Il surprend Houmbaba, puis disparaît. Un autre le remplace, brûlant, qui éclaire la Forêt au sud. Puis le couchant s'anime à son tour et le levant frémit.

À ces signes, Gilgamesh reconnaît la présence de Shamash, qui lui dit :

— Je suis là. Aie confiance. Je veille. Mes Treize

Vents sont à tes côtés. Je t'ai envoyé leur avant-garde.

Réconforté, Gilgamesh s'élance sur Houmbaba qui essaie de parer l'attaque en poussant son cri de mort. Trop tard. Gilgamesh est sur lui et l'empoigne.

Le corps du géant est lisse, nourri en profondeur par des courants de feu. Il se dérobe. Gilgamesh peine à assurer ses prises. Il enserre la taille de son adversaire, cherche à le plier, mais Houmbaba semble enraciné dans le sol, comme les Cèdres de sa Forêt.

Alors, Shamash envoie toutes ses troupes à la rescousse.

Ouragan se déchaîne le premier, attaque aux pattes. Tornade et Tempête ébranlent la grande carcasse du géant. Blizzard travaille ses muscles, plus durs que l'obsidienne, Rafale le harcèle, Tourbillon l'étourdit.

Houmbaba vacille et la Forêt prend peur. Elle sent son protecteur en danger. Elle hurle et pleure, en se tordant les bras.

Houmbaba rugit. Gueule ouverte, il jette à gauche, à droite, des coups de crocs pour déchirer les Vents, claque des sabots et cherche la gorge de Gilgamesh, serré contre sa poitrine, qui résiste malgré les soubresauts.

Pendant ce temps, Enkidou s'est relevé. Il veut prêter main-forte à son ami, mais la violence de l'empoignade l'empêche de s'approcher.

Surgit soudain Bourrasque, descendue des étoiles. Elle s'engouffre dans la gueule du géant, descend en lui et lui gonfle le ventre. Cyclone la rejoint, pénètre dans les yeux d'Houmbaba, l'aveugle, pendant que Typhon s'enroule en puissance autour de ses cuisses.

Houmbaba perd l'équilibre. Gilgamesh le sent pris au dépourvu. Il pèse de tout son poids, le frappe aux mollets et l'abat.

En s'écroulant, Houmbaba déracine cent arbres et reste enchevêtré parmi les branches et les troncs fracassés. Gilgamesh hurle :

— Tu as perdu ! Ta Forêt m'appartient !

Il maintient la gueule du monstre sous son talon, pendant qu'Enkidou, qui s'est jeté en travers de la poitrine de Houmbaba, le cloue au sol.

Mais le gardien ne s'avoue pas vaincu. Il se sait prisonnier. Il négocie.

— Tu veux mes Cèdres, Gilgamesh ? Prends-les, je te les donne. Et profite de la gloire de les avoir conquis. Mais laisse-moi en vie. Ma mort ne te rendra pas plus grand.

Enkidou sent la ruse.

— N'écoute pas, Gilgamesh. Houmbaba te trompe. Prends ses Cèdres ! Prends sa vie !

— Tais-toi, avorton ! Rappelle-toi quand tu dormais dans les arbres. Je n'aurais pas dû me contenter de t'effrayer, j'aurais dû te réduire en poussière, te renvoyer à la bouillie d'où les dieux t'avaient tiré !

Gilgamesh hésite. Houmbaba pousse son avantage.

— Nous sommes des presque dieux, toi et moi. Pourquoi t'encombrer de ce sous-homme ? Il a fini d'évoluer. Il n'ira pas plus loin. Mais si tu me laisses en vie, nous pourrons, la main dans la main, étonner le monde par nos exploits. Nous sommes deux torrents furieux. Qui peut dire le contraire ? Et nos noms se répandront sur les pays comme un raz de marée.

Ces paroles irritent Gilgamesh. Houmbaba lui parle comme il parlait à Enkidou. Mot pour mot. Il a l'impression qu'en lui proposant son amitié, le géant confisque son affection pour Enkidou.

— L'amitié ne se décide pas, répond Gilgamesh. Elle s'installe d'elle-même dans les cœurs. Et quand on la découvre, on se réjouit et on s'empresse de la fortifier chaque jour par des attentions nouvelles. Je sais cela. Enkidou me l'a appris.

Mais Enkidou craint les manigances de Houmbaba. Il presse son ami.

— N'écoute pas, Gilgamesh. Houmbaba, c'est le mal ! Supprime le mal !

Gilgamesh n'a plus besoin d'écouter. Sa décision est prise et Houmbaba comprend qu'il est perdu. Il pousse un dernier cri :

— Tu ne vieilliras pas, Enkidou. Tu me rejoindras bientôt dans le Pays-des-Ombres. Quant à toi, Gilgamesh, n'attends plus. Allez ! Prends ma vie et attire le malheur sur la tienne.

Une dernière fois, l'épouvante pétrifie la Forêt et se tait à jamais.

*

* *

Le gardien éliminé, les deux hommes se livrent à un grand massacre de Cèdres, au cœur de la futaie. Lorsqu'ils ont abattu assez d'arbres pour apporter la preuve de leur exploit, ils débardent les troncs à mains nues jusqu'à l'Euphrate et construisent un radeau. Puis, ils descendent le fleuve en direction d'Ourouk où la gloire les attend.

8

Lorsqu'ils arrivent, une foule immense...

Lorsqu'ils arrivent, une foule immense se bouscule sur le quai, car la nouvelle de leur victoire les a précédés. Tout le monde veut voir les vainqueurs, les approcher, monter sur leur radeau, toucher les troncs superbes qui embaument tout le quartier du port.

Des hommes tombent à l'eau, d'autres approchent à la nage sur des outres gonflées et une flottille de barques de roseaux, de couffes[1] de cuir,

---

1. Embarcations de forme ronde, dont la coque de cuir était tendue sur une armature de bois.

entoure bientôt le butin rapporté par les deux héros.

C'est la fête. Gilgamesh désire que chacun y prenne part. Il ouvre ses greniers, ses silos et fait distribuer double ration de tout : orge, dattes, huile de sésame... La bière coule : brune, blanche, allégée, miellée. Vins de palme. Vins de grenade. Friandises, pâtisseries.

Dans les temples d'Anou et d'Ishtar, on sacrifie à tout va, on apporte des offrandes : moutons, chèvres, couffins de concombres, d'oignons, de poireaux. Dans le temple de Shamash aussi, qui a tant aidé son protégé. Shamash est un dieu fidèle, il l'a prouvé. Et Gilgamesh l'a bien prié.

Les fumées des viandes qui rôtissent pour eux se mêlent aux nuées bleues d'encens et de myrrhe, aux chants des prêtres, aux rires du peuple. C'est un souffle coloré qui s'exhale de la ville et s'élève vers le ciel des dieux pour leur offrir la reconnaissance des hommes.

Comme ils doivent être fiers d'avoir eu la bonne idée de les créer !

*

* *

Dans le palais, Enkidou est très entouré. On lui fait raconter l'expédition et lui, docile, se prête à toutes les demandes, raconte et raconte, en arrosant de bière ses récits.

Il fait vivre l'aventure à ceux qui l'écoutent. Il mime la Forêt, il mime son angoisse, il mime la bataille, il mime les vents. Enkidou est un conteur très particulier. Lui-même, à force de raconter, revit ces journées, ressent à nouveau toute leur intensité. Parfois il s'interrompt, il songe et son esprit retourne dans la Forêt. Houmbaba... l'épouvante... Il voit comme son cœur a changé. La peur est partie. Il l'a vaincue, avec l'aide de Gilgamesh, son ami.

Puis il reprend le fil de ses histoires, et ceux qui l'ont déjà entendu s'empressent d'aller raconter à leur tour, comme s'ils étaient eux-mêmes Gilgamesh ou Enkidou. Et tous ces récits s'ajoutent aux offrandes et montent captiver les dieux.

Pendant ce temps, Gilgamesh profite que chacun est occupé, pour se retirer.

Jadis, il aimait festoyer dans le bruit, entouré de ses compères. Aujourd'hui, pour la première fois, il veut être seul, afin de savourer son exploit en silence. Dans son bain parfumé, il songe, lui aussi.

La vie sauvage de la steppe lui revient, et ses doutes apaisés par ses rêves, et Enkidou qui sait parler la langue des choses, sa maîtrise...

Après le bain, Gilgamesh s'enduit de crème et d'onguent, puis s'habille légèrement. Une simple tunique, tenue à la taille par une ceinture en cuir blond de cerf. Une coupe à la main, il descend dans son jardin frais, toujours habité par ses pensées. C'est Shamash qui l'occupe maintenant. Shamash qui ne l'a jamais quitté.

— J'ai été attaqué et tu m'as défendu. J'ai été faible et tu m'as soutenu. Shamash, ma permanence. Tu me réponds quand je te questionne. Tu m'écoutes, même quand je me tais.

Alors, en réponse à ses pensées, une voix s'élève dans les branches d'un tamaris.

— Non, ne te tais surtout pas, Gilgamesh. Ta bouche est une harpe à sept cordes et j'aime sa musique.

— Qui parle ? Qui est là ?... C'est toi, Shamash ?

— Non ! s'exclame la voix en riant. Pas Shamash !

— Qui alors ?

— Devine !...

Ce ton mutin, aguicheur...

— Une femme... Forcément une femme !

— Hummm ! Tu brûles. Encore un effort...

— Ishtar !

— Tu vois, quand tu t'appliques !

Et la déesse, restée invisible pour mieux taquiner Gilgamesh, soudain se révèle à lui, éblouissante, dorée, presque nue...

— Enkidou raconte à tous tes invités vos merveilleux exploits. Il est intarissable. Il m'a donné envie de les entendre, mais de ta bouche Gilgamesh, et en particulier...

Elle s'approche et souffle sur lui son haleine de poivre et de gingembre. Gilgamesh, d'instinct, se méfie.

— Quand l'incomparable Ishtar vient se perdre chez les hommes, ce n'est pas pour entendre des histoires. Dis-moi la vérité. Que veux-tu ?

— Toi !

Elle lui retire sa coupe des mains et boit en le fixant dans les yeux. Ses accroche-cœur, parfaitement ourlés, sont serrés sur son front par un bandeau d'or fin, plus léger qu'un tulle. Ses yeux, agrandis par le khôl sombre sur ses paupières, luisent comme deux fruits de belladone. En buvant, c'est Gilgamesh qu'elle déguste.

— Épouse-moi ! propose-t-elle.

— T'épouser ? Je croyais qu'Ishtar n'acceptait que des amants. Depuis quand s'intéresse-t-elle au mariage ?

— Depuis qu'elle t'a vu à l'œuvre dans la Forêt. Tu étais farouche et beau. Tu embaumais la résine. Épouse-moi, je te récompenserai. Je doublerai tes troupeaux, tu verras. Tes brebis ne mettront bas que des jumeaux et tes ânes seront plus résistants que des mulets. Tes chevaux de course triompheront dans tous les concours. Je te donnerai un char taillé dans un bloc de lazulite, monté sur des roues d'or et j'équiperai ton attelage d'un harnais d'ambre. Les plus grands rois de la terre se disputeront ton amitié et ils se bousculeront dans Ourouk pour t'offrir des présents et te baiser les pieds.

Elle est plaquée contre lui pour qu'il la prenne dans ses bras, mais Gilgamesh reste insensible à ses avances. Quand elle a terminé sa liste de mariage, il lui dit :

— Et avec quelle monnaie vais-je te payer toutes ces merveilles ? Avec de la naïveté ? De la docilité ? Il faudra que j'accepte tous tes caprices ? Toutes tes tromperies. Une fameuse liste, là aussi !...

Ishtar, furieuse, lui jette sa coupe au visage et, d'un coup de griffe, déchire sa tunique et lacère sa poitrine.

Gilgamesh évite la coupe, saisit les poignets d'Ishtar, la déséquilibre, la couche brutalement sur la terre humide d'un massif et s'assoit sur son ventre.

— Parlons de tes amants, maintenant ! Tu les as tous trompés, tous fait souffrir. Tu t'en souviens ?... Je vais te rafraîchir la mémoire. Commençons par Tammouz, ton premier fiancé : tu l'as expédié chez les morts. Belle récompense pour son amour ! Et le pâtre qui te cuisait des fournées spéciales de galettes au cumin, tu l'as changé en loup. Très subtil ! Jour et nuit, maintenant, il est pourchassé par ses anciens valets et par ses chiens. Ishoulanou, le jardinier si doux, tu l'as changé en crapaud. Et je ne parle pas du Cheval, que tu as aimé aussi et que tu as condamné à toujours boire de l'eau sale, souillée par ses propres pattes. Et j'oubliais le Lion ! Depuis qu'il t'a connue, il est harcelé par les chasseurs, mis à mort dans leurs filets.

« Quels cadeaux, Ishtar ! Quels éblouissants cadeaux ! Et moi, dans ce panorama de tes trahisons, quelle place me réserves-tu ? Quel petit plat raffiné m'as-tu déjà mijoté ? Réponds ! »

Ishtar se cabre, crache, hurle. Sa fureur liquéfie le fard de ses joues et le khôl creuse de longs sillons noirs sur son visage.

— Avec un tel tableau de chasse, comment te faire confiance. Je ne serai pas ta prochaine proie ! Je n'entrerai pas dans ton temple. Retournes-y et ferme bien les portes !

Gilgamesh se relève pour la laisser partir et Ishtar, aussitôt debout, rajuste sa jupe, son cache-seins de perles et, hors d'elle, disparaît dans un buisson de mimosas.

— Tu le regretteras ! promet-elle en soulevant un nuage de pollen jaune.

9

Ishtar ne rentre pas chez elle...

Ishtar ne rentre pas chez elle. Elle va directement se plaindre au chef, Anou, qui l'attend. Il a tout vu, évidemment et, au claquement de la porte de son temple, s'apprête à recevoir une furie.

— Anou, ne fais pas semblant ! Tu l'as vu, tu l'as entendu ! Est-ce qu'on va supporter encore longtemps de se faire insulter ?

— Est-ce que tu avais besoin d'aller te frotter à lui, aussi ? Tu le connais, non !

— C'est ça, trouve-lui des excuses ! Dis tout de suite qu'il a raison !

Anou, depuis longtemps, s'est retiré des affaires. Il a confié à son fils Enlil le quotidien du pouvoir, la gestion. Il demeure donc comme un patriarche. Une sorte de souvenir des temps anciens. On respecte son œuvre passée et, de temps en temps, on aime solliciter son conseil. Il reçoit tous les dieux qui lui demandent audience. Mais, si la plupart des visiteurs sont accommodants, il en est d'autres qui l'épuisent. Ishtar est la pire. Une scie ! Toujours prête à en découdre.

— Ea, paraît-il, avait inventé un nouveau prototype. On allait voir ce qu'on allait voir. Avec lui, Gilgamesh serait bien contraint de baisser d'un ton ! Le résultat est éloquent : Houmbaba, massacré ! La Forêt des Cèdres, fauchée par Gilgamesh et Enkidou ! Merci, Ea ! Ils font la paire, ces deux-là. Copains comme cochons ! Un jour, tu verras, ils revendiqueront le droit de siéger dans notre assemblée, de posséder un culte, avec des temples, par-dessus le marché !

— Ishtar, tu exagères ! On n'en est pas là et tu le sais très bien ! Tu es fatigante de toujours crier au loup !...

— Je te dis qu'il faut leur porter un coup d'arrêt, leur faire sentir la loi, pour qu'ils n'en franchissent plus les limites ! Et je ne vois qu'un moyen... le Taureau Céleste !

— Tu es folle !

— Le Taureau Céleste ! Donne-le-moi !

Anou soupire et fait la sourde oreille.

— Si tu refuses, c'est bien simple, je descends aux Enfers, j'abats les sept murailles, je rends la liberté aux morts et je leur dis : « Allez, allez petits, remontez sur la terre ! Allez, allez petits, montrez-vous aux vivants, dévorez-les, soyez prospères ! » Tu sais ce que cela signifie, Anou. Et tu sais que je ne renoncerai pas.

Oui, Anou sait qu'elle est capable de tout pour avoir le dernier mot. Si elle passe à l'acte, il sait que la mort va remplacer la vie, que le pays va s'arrêter, que les champs ne seront plus cultivés. Alors, si les dieux veulent manger, ils devront travailler, comme avant la création des hommes. Bêcher leur lopin, ensemencer, récolter, faire la cuisine... Quel bazar encore une fois ! Anou préfère ne pas y penser.

— Bon ! dit-il. Admettons que je te donne le Taureau. Tu sais à quoi tu exposes la ville ?

— Oui, à sept ans de famine.

— Alors, ne mets pas la charrue avant les bœufs ! Commence par envoyer l'abondance.

— Mais c'est déjà fait ! Les greniers sont pleins, les jarres, les fosses, les silos. Tout déborde ! On ne sait plus où entreposer le fruit.

Elle ment effrontément et Anou, bonne pâte, la croit sur parole.

Alors, il lève le bras, enfonce sa main dans le ciel jusqu'à l'épaule et tâtonne dans l'obscurité du chaos. Il saisit la queue d'une comète encore inachevée. C'est la longe de la bête. Il tire. Le Taureau est bien là, qui résiste, encore endormi. Il tire à nouveau, plus fort, et un mugissement rauque ébranle le plafond du ciel et fait vaciller les étoiles.

*

* *

Une violente secousse réveille Ourouk. Cela ressemble au fracas du tonnerre, mais le ciel est clair. Tout tremble soudain et le calme revient.

Les gens se réveillent, se précipitent dans les rues, s'interrogent. Mais rien. Ils ont rêvé sans doute.

Plus tard cependant, au creux de la matinée, une autre secousse tonne à nouveau. C'est le sol. Une poigne a saisi la ville comme une botte de joncs et tire pour l'arracher. Un dieu est en colère.

Pourvu qu'il ne s'agisse pas d'Ereshkigal, la reine des Enfers.

Une rumeur se répand bientôt. La terre s'est ouverte dans le quartier des potiers. Un gouffre. Cent maisons, avec leurs habitants ont disparu. Et dès que la nouvelle a fait le tour de la ville, la grande colère récidive.

Elle frappe dans le quartier des pêcheurs. Une nouvelle faille avale cent autres maisons, sans compter les gens et les étangs. Et dans celui des forgerons, cent autres encore. La force frappe au hasard, procède par sondages. Elle est lancée sur une piste, dirait-on. Elle cherche.

Gilgamesh et Enkidou sortent du palais. Ils ont entendu, eux aussi. Ils savent.

Alors, la voix dans la terre recommence à hurler. Le sol se fend. Une fissure traverse la place, file en direction des deux hommes. Gilgamesh l'aperçoit. Il prévient Enkidou. Trop tard ! Une gueule gigantesque bâille devant le palais du roi. Enkidou est cueilli. Mais il a eu le temps de se jeter sur le côté. Suspendu à un bord, les pieds dans le vide, il parvient à se rétablir et reprend pied à la surface.

C'est alors que, du gouffre béant, surgit une montagne qui élargit l'ouverture et transforme les résidences des nobles, voisines du palais, en un champ de tessons.

Une forme lourde encombre la crevasse. Elle s'annonce avec un mugissement de mort qui recouvre la ville comme une nuée d'orage. Puis elle extirpe sa tête encore enfouie et dresse son mufle noir de nuit et ses cornes en croissant de lune, tranchantes comme des faucilles.

Le Taureau Céleste arrive à Ourouk !

Il voit Gilgamesh et Enkidou. Ceux qu'ils cherchent. Il pousse une plainte semblable à un soupir de plaisir.

Gilgamesh comprend tout.

— C'est signé Ishtar ! dit-il à Enkidou.

Il tire son épée.

— Pas de quartier, ma belle !

Et il fonce vers le fauve, Enkidou sur ses talons.

Le Taureau n'a pas besoin qu'on l'excite. Quand il voit ces deux mouches voler vers lui, il s'ébranle. Fureur contre fureur. Son galop fait gémir la place et le choc est épouvantable pour les deux hommes. Ils sont projetés dans la poussière et se relèvent ensanglantés. À ce jeu, ils y laisseront la vie. L'animal est tout en puissance. Il faut ruser. Alors, ils décident de s'enfuir pour l'attirer dans le dédale des ruelles étroites de la ville. C'est ainsi qu'ils auront raison de lui.

Le monstre les voit s'échapper. Il les pourchasse et donne dans le piège.

Le chaos gronde à nouveau et les ruines s'entassent sur les ruines. Le prix à payer pour venir à bout de la bête ! Gilgamesh le sait. Le temps viendra de reconstruire. Pour l'heure, c'est la désolation qui parle.

Les deux fuyards débouchent bientôt dans une impasse. Calcul ! Gilgamesh reste seul et attend face au Taureau, pendant qu'Enkidou grimpe sur une terrasse au-dessus de la rue. Le fauve arrive devant Gilgamesh qui le provoque. Il fonce pour l'encorner.

Alors Enkidou saute derrière lui, lui saisit la queue et tire comme s'il voulait l'arracher, pour le freiner.

Le Taureau se retourne et Gilgamesh, à l'affût de sa première faute, plonge entre ses pattes, se glisse sous lui et lui enfonce son épée dans le cœur.

L'animal est pris. Il se débat, mais son sang creuse déjà le lit d'un ruisseau au milieu de la ruelle. Il sait qu'il va mourir. Il fixe d'un regard vide ces deux hommes qui ont eu raison de lui. Il éructe, comme pour les blesser de son souffle. Sa bave macule son poitrail et se mélange à son sang qui s'écoule. Il se laisse tomber sur le flanc. La terre frémit encore sous son poids et il pousse un dernier rugissement.

Il ne retournera jamais dans les étoiles. Les dieux sont avertis.

Le Taureau vient juste d'expirer. Déjà, d'autres cris prennent le relais. Des pleurs et des lamentations de femmes. C'est Ishtar, sur la terrasse de son temple, entourée de toutes ses prêtresses. Elle se désespère de la disparition de son favori.

— Ishtar ! gronde Gilgamesh, fou de colère. Tu aurais mieux fait de ne pas te montrer !

Il saisit une patte de la bête, Enkidou une autre, et, leur force décuplée par la fureur, remorquent la dépouille de leur victime, pour l'offrir à celle qui avait commandité leur assassinat.

— Ishtar ! On t'apporte ton Champion ! Regarde ce qu'il en reste !

À la vue du cadavre, les femmes se frappent les cuisses de rage, se mordent les lèvres de dépit, se griffent la bouche comme des pauvresses abandonnées de tous. Et, pour pimenter leur chagrin, Enkidou tranche une cuisse de l'animal et la lance en direction de la terrasse.

Les belles s'enfuient épouvantées, pendant que Gilgamesh, dopé par la victoire, jette une dernière fois son arrogance à la face de la déesse.

— Si tu étais tombée entre nos mains, Ishtar, c'est toi qui serais affalée dans la poussière !

Après quoi, ils s'en vont triompher dans les rues, se faire applaudir en libérateurs.

— Après Houmbaba et la Forêt des Cèdres, ils ont couché le Taureau Céleste !

— Ils sont invincibles !

— Gloire à Gilgamesh ! Gloire à Enkidou son ami !

Portés par les vivats, accompagnés par la foule, ils descendent jusqu'à l'Euphrate. Ils se baignent longtemps dans ses eaux. Ils s'y purifient de la folie qui les habite pour que le fleuve la prenne et l'emporte se dissoudre dans la mer.

10

Hélas, le fleuve, s'il peut laver les souillures...

Hélas, le fleuve, s'il peut laver les souillures, est impuissant à laver une faute, fût-il le grand Euphrate. Seuls les dieux ont pouvoir de pardon. Et les quatre plus grands d'entre eux, chauffés à blanc par Ishtar la furieuse, discutent justement de la question.

Anou n'est pas très content. Il s'est fait berner par Ishtar et il ne veut pas trop s'engager dans ce débat. Il prend la position la plus facile, celle de l'égalité.

— Ils ont donné la mort tous les deux, ils doivent mourir tous les deux !

— Je ne suis pas d'accord avec toi, père, lui objecte Enlil. Gilgamesh est roi d'Ourouk, presque dieu. Il nous ressemble trop. Alors qu'Enkidou n'est qu'un pâton d'argile, un sujet d'expérience. Faire mourir Enkidou, c'est interrompre une expérience, sans plus. Alors que faire mourir Gilgamesh est plus lourd de conséquences. Si l'on veut donc les traiter à égalité, Gilgamesh doit être puni d'une autre manière.

— Sauf que... intervient Shamash, en laissant planer le silence. Sauf que je les ai aidés ! Sans mes Treize Vents, ils n'auraient jamais vaincu Houmbaba, jamais conquis la Forêt ! Si vous les punissez, moi aussi je dois l'être. Sans compter que, de nous trois, le plus innocent est bien Enkidou.

Enlil est très irrité par l'intervention de Shamash. Il lui répond vertement.

— Sous prétexte de les aider, tu les fréquentes un peu trop, je trouve ! Tu finis par leur ressembler, Shamash. Je me demande d'ailleurs si tu es toujours bien apte à juger les hommes !

C'est alors qu'Ea intervient. Comme toujours, il a préféré se taire et écouter avant de parler.

— Je crois que je tiens une solution qui nous

mettra tous d'accord, dit-il en s'éclaircissant la voix. S'ils méritent tous les deux d'être punis – aucun doute là-dessus – votre sanction, pour être juste, doit être adaptée.

« Commençons par Enkidou. Tu l'as dit, Enlil, c'est une expérience. Belle expérience entre nous ! Elle a réussi au-delà de nos attentes, reconnaissons-le. Qui d'entre nous aurait pu parier sur un tel résultat ? Personne ! Enkidou, à sa manière, est devenu un grand homme. Sa vie a été magnifique. Elle peut s'arrêter là. Point final !

« Quant à Gilgamesh, il est bien plus grand. C'est toi encore, Enlil, qui l'as rappelé. Alors, punissons-le à sa mesure et voyons de quoi il est capable. Il n'a jamais rencontré d'obstacle qui l'ébranle. La mort d'Enkidou est cet obstacle-là. Je vous le dis. Faisons donc mourir Enkidou et attendons...

*

* *

Enkidou a tout entendu. Un rêve l'a transporté dans la coulisse du Grand Conseil des dieux. Il se réveille en sursaut. Il suffoque, il étouffe. C'est le verdict des Immortels et la maladie, déjà, s'installe en lui. Il la sent. Elle l'échauffe et le ronge. Il entame une prière de conjuration :

— Ô, puisse mon rêve monter au ciel, pareil à la fumée et s'y perdre. Puisse mon rêve, comme l'eau de l'averse, se mélanger à celle de la rivière...

Soudain, il s'interrompt. Il revoit la détermination des dieux et se sent impuissant à les apitoyer. Il se lève, entre chez Gilgamesh, lui annonce la nouvelle.

— Enkidou va mourir !

Puis, d'une traite, il lui raconte son cauchemar en détail.

— Où vois-tu, là, un mauvais présage ? lui répond Gilgamesh après l'avoir écouté. Ton rêve est bon. Il faut seulement le comprendre à l'envers. Tu ne vas pas mourir, tu vas vivre ! Voilà mon avis. Et si tu es malade, nous allons te soigner. Mais pour guérir, il faut que tu y mettes du tien. Ne t'abandonne pas. Ne te désespère pas. Le désespoir aplanit la route de la mort. Au contraire, dresse des obstacles devant elle, creuse des pièges. Lutte contre ton mal comme tu as lutté contre le mal Houmbaba ! Et oublie les palabres des dieux, sur leurs sommets lointains. Tu es un homme. Tourne-toi vers ta vie d'homme. Souviens-toi de nos belles batailles ! Aucune n'était gagnée d'avance. Nous étions même donnés perdants. Et nous avons toujours vaincu, toi et moi, comme deux mulets indomptables, sous le même joug. Nous avons étonné les dieux et nous les étonnerons encore. Allons ! Aie confiance !

Enkidou a foi en son ami. Ses paroles lui redonnent des forces et la fièvre s'apaise. Son corps lui échappait. Il le sent à nouveau à sa disposition, maître de lui, et il se lance à l'assaut de sa maladie, comme il s'est lancé à l'assaut du Taureau Céleste.

Gilgamesh ne le quitte pas. Mais cette fois, c'est lui qui marche le premier, comme Enkidou dans la steppe, sur la route de la Montagne des Cèdres. Il l'emmène en pèlerinage à Nippour, prier Enlil dans son temple. Au retour, ils font étape à Isin, la ville de Goula, la déesse guérisseuse. Puis ils consultent des médecins, des magiciens, des exorcistes. Gilgamesh ne veut rien négliger pour chasser les démons qui dévorent son ami, et Enkidou, docile, se prête à tous les traitements. Il applique cataplasmes et onguents. Il avale infusions de plantes médicinales et poudre de pierre dissoute dans du sang de bœuf, porte des amulettes, récite des prières composées spécialement pour son mal.

Malgré ses efforts, la maladie empire. Enkidou

se défait comme une palissade de roseaux secouée par la tempête. Il doit s'aliter et ne quitte plus la chambre.

Une nuit, la douleur le réveille. Il se dresse sur sa couche, hagard, demi-conscient. Croyant laisser son mal derrière lui, il veut s'enfuir au loin. Il se lève, fait quelques pas, voit le sol se dresser contre lui et s'écroule. A-t-il crié ? Il ne sait plus.

Dans le palais, on accourt. Des servantes avec des linges, des bassins, de l'eau fraîche. Et des médecins. Et Gilgamesh, premier à le relever.

— Enkidou, lui dit-il, tu es trop faible. Sois raisonnable, recouche-toi !

Enkidou regarde Gilgamesh, cherche un instant son nom puis, à nouveau conscient, secoue la tête avec impuissance et marmonne quelques mots :

— Steppe... Enkidou... retourner...

Il se dresse vers le soleil levant, s'agrippe à Gilgamesh.

— Enkidou... Pas un homme...

Il songe à la steppe. Il l'espère. Il l'appelle sur son corps. Et la steppe qui l'a entendu jette sur lui son manteau aux odeurs d'haleines fauves et de lait caillé.

« Aigles, loups, hyènes, murmure son cœur

épuisé, prenez le corps d'Enkidou. Nourrissez-vous de lui. Pluie, délave ce que les bêtes auront laissé. Soleil, blanchis les os d'Enkidou. Vent, réduis-les en poudre et disperse-les pour qu'Enkidou se mélange à la terre. Alors, Enkidou s'offrira au sabot des gazelles... sera bercé par leur galop. »

Personne ne bouge, autour du malade. Chacun retient son souffle et Gilgamesh, dans ce silence de tous, entend son ami songer.

— Oui, lui promet-il. Tu retourneras dans la steppe, Enkidou. Je t'y emmènerai. Et dès aujourd'hui, je vais te construire un char spécial pour t'y transporter sans dommages. Mais reprends un peu de forces. Dès que tu seras capable d'accomplir le voyage, nous nous mettrons en route, toi et moi, comme aux jours de nos plus folles expéditions.

Enkidou est apaisé. Gilgamesh l'enlève dans ses bras et le recouche. Il ferme les yeux, respire faiblement, et tous se retirent, laissant Gilgamesh seul à son chevet.

Shamash monte vers son zénith, mais déjà, la mort qui sent sa proie mûrir s'avance vers Enkidou pour le saisir. Des torches s'allument devant lui et guident ses pas vers le Pays Obscur. Il franchit les six portes des six premiers remparts.

Devant la septième, il est reçu par un démon. Ses bras sont des pattes de lion et ses mains, des serres de rapace. Il attrape Enkidou. D'un coup de griffe, il fend son corps du haut jusqu'en bas, puis le suspend à un clou, comme un vieux vêtement inutile. Sous sa peau d'homme, Enkidou est un pigeon. Sa nouvelle apparence dans le Royaume des Ombres qu'il découvre soudain.

C'est une immense ville souterraine dont les rues s'enchevêtrent devant lui, dans un dédale infini. Du ciel plombé ne filtre aucune lueur, aucun espoir venu du haut. Partout, des maisons de terre qui s'effritent, des palais qui s'éboulent, en soulevant des nuées suffocantes.

Les êtres qui demeurent ici ont tous quitté la vie. Enkidou reconnaît d'anciens puissants, des nobles, des prêtres, des artisans aussi, des esclaves... Tous, couverts de plumes, hagards et désœuvrés, attendent en regardant passer l'éternité.

Les plus avantagés sont ceux dont la famille entretient la mémoire. De la surface, ils reçoivent de l'eau claire, de la nourriture fraîche. Les autres, les oubliés, les sans-famille, les soldats abandonnés sur le champ de bataille, les femmes répudiées par leur mari, ceux-là sont les délaissés du monde d'En-bas. Nulle compassion pour eux. Ils picorent l'humus, pataugent dans la boue, se querellent pour une épluchure.

En les voyant, Enkidou comprend que l'oubli est une seconde mort et que le souvenir est l'arme ultime des vivants pour empêcher les défunts de disparaître à tout jamais.

Il songe à Gilgamesh. Il le voit endormi à la tête de son lit, vaincu par la fatigue. Il veut le secouer, l'avertir. Mais, c'est vrai, son corps lui a été repris. Il n'a plus aucun pouvoir sur lui. Il n'est plus libre que de ses pensées. Alors, il rassemble ce qu'il lui reste de forces dans le cœur et forme une lumineuse intention d'amour qu'il dirige en direction de son ami.

« N'oublie pas Enkidou... »

Il brûle ainsi sa toute dernière lueur de vie, avant la nuit totale.

Une femme apparaît alors. Majestueuse et sévère, c'est la reine des Enfers, Ereshkigal, maîtresse des destins.

Elle tient la tablette d'Enkidou, la lit, puis avec un sourire à son visiteur, la réduit en motte dans sa main, comme on chiffonne une vieille étoffe de lin.

Enkidou est mort.

11

Un bruit de froissement...

Un bruit de froissement fait sursauter Gilgamesh. Comme si Enkidou se retournait sur son lit pour l'appeler.

— Enkidou !... Quel rêve horrible ! Tu étais prisonnier du monde d'En-bas, transformé en pigeon et tu battais des ailes pour attirer mon attention. Je suis là, rassure-toi. Je m'étais juste assoupi. Pardon.

Mais Enkidou dort sans un souffle et son œil ne frémit plus sous la paupière.

— Enkidou ! s'écrie Gilgamesh, l'angoisse au cœur. Réponds !

Il le secoue avec douceur. Mais son corps, lourd, se prête au mouvement et reprend sa place, mollement. Gilgamesh comprend.

— Ainsi tu es parti, Enkidou... sans me prévenir... Pourquoi ? Je ne me suis absenté qu'un instant et tu en as profité pour franchir ta haie de clôture. Pourquoi ? Nous avons bataillé si souvent côte à côte, pourquoi dans ce combat, avoir quitté ton poste ? Dis, pourquoi ?

Il le prend dans ses bras, poitrine contre poitrine, soutient sa tête qui tombe et continue de lui parler comme si son ami allait finir par lui répondre.

— Je ne te fais pas reproche d'avoir déserté, mais j'avais encore des forces pour lutter, si tu n'en avais plus. Je les aurais partagées avec toi, économisées et nous aurions pu tenir encore. Je m'apprêtais à te porter dans la steppe où les gazelles s'ennuient de toi. Les gazelles, Enkidou. Souviens-toi... Oh, reviens et je t'offrirai des gazelles par milliers...

Il parle à son visage, bouche à bouche. Par le souffle des mots, il s'efforce d'alimenter sa poitrine pour remettre en mouvement la mécanique de la vie.

— Je ne t'oublierai pas, Enkidou, aie confiance. Et pourtant, au début, je te l'avoue, je ne voulais que ta perte. Mais c'est toi qui m'as conquis. Par la fraîcheur de tes yeux clairs où je voyais briller les étoiles ; par la souplesse de ton pas où je voyais chasser le lion et la panthère ; par l'ampleur de tes gestes qui écrivaient des poèmes dans le vent.

« Je ne t'oublierai pas, Enkidou, sois tranquille. Je ferai sculpter des statues de toi, dans la diorite, l'albâtre, le cèdre imputrescible. Je les planterai à toutes les portes de mon royaume, afin que nul voyageur, en arrivant, n'ignore qui tu étais. Je dicterai ta vie à mes scribes. Ils la recopieront à l'infini pour qu'elle se raconte, à travers tout le monde habité.

« Je ne t'oublierai pas, Enkidou. Ni moi ni personne. Tu restes parmi nous. Tu continues de nourrir nos pensées, nos regards sur le monde. Chacun, devant la brume de l'aube, dira : "Regardez, Enkidou s'éveille. Il respire." Chacun, devant les ondulations de l'orge sous le soleil, dira : "Enkidou est heureux, il frissonne de joie." Et chacun, au bivouac, devant la fumée des feux qui monte droit, dira : “Faites silence ! Enkidou songe. Ne troublez pas sa rêverie.”

« Enkidou... mon ami... je t’aime tant.

Lorsque les gens du palais arrivent, bien plus tard, pour prendre des nouvelles, ils les découvrent serrés l’un contre l’autre, mort et vivant réunis. Ils n’osent faire un geste, dire un mot, et ils attendent en pleurant doucement.

La journée passe ainsi et, aux premières buées de la nuit, une plainte déchirée s’élève du palais et plane longtemps sur la ville. Dans les quartiers, on l’entend. On comprend.

— Enkidou est mort et Gilgamesh le pleure.

Et chacun s’habille d’un vêtement rouge, couleur du deuil, puis laisse éclater son chagrin, à l’unisson de son roi.

Les funérailles ont lieu le lendemain.

Emboîté dans deux grandes jarres d’argile, Enkidou est enfoui sous le rempart, à la limite de la ville et des champs infinis. Moitié à la steppe, moitié à la cité. Tel dans la mort que dans la vie.

Gilgamesh, entre ses mains serrées, a glissé une corne de gazelle.

Après le chagrin, la solitude et l'absence. Enkidou est partout mais invisible, et Gilgamesh le cherche. Il lui parle, s'inquiète de lui, comme aux premiers temps de son installation. Il se retourne sans cesse, pour s'assurer qu'il le suit. Il espère qu'à force de l'évoquer, un murmure va sourdre du silence, un mouvement s'extraire de l'immobilité, une vapeur de vie, peut-être, se condenser. Mais rien. Les murs du palais, qui ont tant de fois résonné au passage d'Enkidou, demeurent secs. Nulle eau ne suinte des souvenirs.

Un matin, Gilgamesh entre dans la chambre d'Enkidou, portant une infusion. La chambre est vide. Gilgamesh se ravise et sa méprise accroît sa tristesse. Il s'assoit à la tête du lit, où il a si souvent veillé, et regarde. La pièce a été rangée et nettoyée. Elle aussi se tait. Enkidou a-t-il jamais vécu ici ?

Seul, dans un coin, un coffre de cyprès, sculpté au couteau, chuchote. Gilgamesh s'approche, l'ouvre et reçoit au visage une bouffée de vie qui le suffoque.

Enkidou est là, dans un fouillis d'objets précieusement conservés : une ceinture, un rameau de cèdre, une poignée de terre dans une urne, des plumes de héron, de martin-pêcheur, le premier pagne que la prêtresse lui avait cousu avant de le présenter à Ourouk, des petits pains à son effigie, à celle de Houmbaba, une oreille du Taureau, une tablette d'argile le représentant avec Gilgamesh, main dans la main... La collection particulière d'Enkidou, recueillie au hasard des bonheurs et des regrets. Chaque objet parle de lui, avec ses mots, ses gestes, et Gilgamesh, à genoux devant ce trésor, voit enfin apparaître la silhouette de son ami. Il marche dans la plaine et son ample foulée fait tanguer l'horizon. Il brandit un gibier et son rire ralentit la course du soleil.

— Enkidou, tu étais là... Oh Enkidou, je t'ai retrouvé...

Mais la vision s'efface dès qu'il parle.

— Enkidou... Non !

Il hurle contre lui-même.

— Combien de fois devrai-je te voir mourir ?

Et soudain, fou de rage et de dépit, il quitte le palais et s'enfuit hors de la ville.

— Si quelques objets peuvent te faire revivre un instant, le pouvoir de la steppe qui t'a vu naître doit être encore plus grand.

Il marche ainsi pendant des jours, en quête de signes, de vestiges introuvables. Les animaux se terrent sur son passage : insectes, rongeurs, reptiles, mammifères. La grande voix de la steppe fait courir cet ordre et tous lui obéissent.

— C'est un homme, dit-elle. Habitué à commander, à tout plier à sa volonté. Laissez-le errer. Laissez agir la solitude et le chagrin. Il doit encore mûrir, s'il veut comprendre. Il ne sait pas encore vraiment ce qu'il cherche !

Et Gilgamesh erre, boit dans les flaques, mange des feuillages, dort dans les buissons. Il divague.

— Enkidou... regarde. Gilgamesh mange la steppe !

Après des jours et des jours d'égarement, il est découragé. Il s'affale sur une souche de genévrier. Ses souvenirs ne le font plus frissonner. Il a oublié jusqu'aux traits d'Enkidou. Il ne parvient plus à retrouver son visage. Son ami demeure en lui, mais comme une idée.

Et c'est cet instant que la steppe choisit pour le lui redonner.

Enkidou, soudain, se tient devant lui. Mais ce n'est pas le compagnon intrépide. C'est l'homme vaincu, à l'issue de son dernier combat. Froid, dur, défait. Gilgamesh veut fuir cette image, mais elle le tient. La mort d'Enkidou est entrée dans son corps, ses organes. Il sent son froid. Il est horrifié. Il se dresse, halluciné. Il hurle vers les quatre azimuts :

— Gilgamesh... Pas mourir !

Il hurle contre le ciel. Il hurle en frappant la terre à coups de talon :

— Gilgamesh... Pas mourir !

Il sait qu'un homme, jadis, a survécu à la mort. Les dieux lui ont offert l'immortalité et l'ont installé au bout du monde, hors d'atteinte des envieux et des jaloux.

Outa-napishti. Tel est son nom !

— Gilgamesh... Pas mourir !

Il saura bien le débusquer, le persuader de partager son trésor ou bien le conquérir par la force.

— Gilgamesh... vivre !

Il rentre au palais, s'équipe de ses armes. Il se recueille devant l'autel de Shamash, lui offre une coupe de miel, une autre de beurre de brebis, pour s'attirer sa protection. Puis il part, en quête de la vie-sans-fin.

12

Gilgamesh s'en va...

Gilgamesh s'en va.

Laissons-le prendre de l'avance. Nous le rejoindrons tout à l'heure. En attendant, prenons des forces. Il nous en faut pour l'accompagner jusqu'au bout de son rêve. Mangeons donc un morceau. Je nous ai préparé de quoi. Tout est dans mon sac à dos et voici le menu que je te propose :

Pour commencer, une salade de champignons et de concombres, au fromage blanc, que j'ai relevée avec de l'ail et du cumin. J'y ai ajouté quelques cœurs de palmier.

Ensuite, un cake au fruits : figues, dattes, olives vertes. Je l'ai sucré au miel d'abeilles et nappé de graines de sésame.

Enfin, des pistaches, des pommes, des poires.

Si tu as soif, voici de l'eau. De source, évidemment. Mais aussi de la bière. Comment communier avec la Mésopotamie, sans la bière ? C'est elle qui l'a inventée. Ne serait-ce qu'une gorgée, rassure-toi. D'ailleurs, j'en ai choisi de la blanche et la plus légère qui soit.

Tous ces aliments étaient connus en Babylonie. Certes, ils n'avaient pas le même goût qu'aujourd'hui, car ils n'étaient pas préparés de la même manière. Mais, en les consommant, nous réveillons le souvenir de notre lointain passé qui remonte en nous et nourrit notre présent. Preuve qu'il possède encore un grand pouvoir de vie.

Maintenant, si ma collation ne te convient pas, tu peux toujours te mettre en chasse et « manger la plaine », comme Enkidou « mangeait la steppe ». Tout à l'heure, j'ai justement aperçu des perdrix qui s'enfuyaient en courant dans l'orge et une nichée de jeunes poules faisanes, dans les broussailles du petit bois de bouleaux. Si le cœur t'en dit !...

Quel que soit ton choix, de toute façon, bon appétit !

13

Donc, Gilgamesh s'en va...

Donc, Gilgamesh s'en va. Absorbé par son projet, il ne fournit aucune explication. Seulement des bribes balbutiées, où il parle de bataille au bout du monde, de vie-sans-fin, de trophée à conquérir.

Ourouk s'inquiète.

— La mort d'Enkidou lui fait perdre la raison.

Gilgamesh n'entend plus. Il s'éloigne déjà et la poussière de sa course est bientôt dispersée par la danse de la chaleur qui enivre la plaine.

Il se dirige vers l'est, car le bout du monde se trouve dans le pays natal du soleil.

La première nuit n'est pas tombée qu'il atteint déjà les montagnes. Il grimpe sans ralentir sa course, pressé d'atteindre le sommet, une vue dégagée pour voir au loin, s'orienter, tirer des échappées sur son itinéraire.

Le sommet en dissimule un autre, qu'il gravit avec la même hâte, un troisième d'où il découvre, à perte de vue, sous la lumière bleue de la lune, un hérissement de pics, dressés sur son chemin, pour user sa volonté. Qu'importe ! Cette barrière, au contraire, le rassure et un fou rire lui tord le ventre. Il est sur la bonne voie !

Les jours et les nuits s'enchaînent.

Il escalade, se hisse, assure ses prises en pliant des arbres, provoque des avalanches, disparaît sous les éboulis, se redresse ensanglanté, rattrape le chemin perdu, hurle à tue-tête son obstination à continuer et joue à écouter sa voix rouler dans les vallées, le précéder à travers les monts, pour annoncer qu'il ne renonce pas.

Il mange en marchant. Baies grappillées, fruits de résineux volés aux écureuils. Il somnole sans ralentir son pas. Sa marche est devenue semblable à sa respiration, mécanique, indépendante de son vouloir.

Au terme d'une lunaison pleine, il consent enfin à s'arrêter. Il se trouve dans une clairière aux parfums de feuillages rafraîchis par la nuit. Il s'endort comme une masse, avant d'être couché.

Mais un être le piste à distance, depuis des heures. Il l'a vu tomber sur le dos, ventre et poitrine offerts. Signes de soumission et de faiblesse. Il laisse passer Sîn[1], dans sa barque en croissant et se jette sur sa victime dès que la clarté décline.

Gilgamesh s'éveille avec difficulté. Il sent qu'on frappe à son corps, qu'on fouille sa poitrine comme pour y pénétrer. Il saisit son épée et s'agrippe à l'assaillant qu'il frappe à son tour et fouille.

L'autre voit qu'on lui résiste. Il appuie ses coups en grognant, mais Gilgamesh, fouetté par la douleur, libère les taureaux de son ventre et se déchaîne.

La nuit, effrayée, recouvre le combat. À bout de rage, les deux adversaires finissent par s'écrouler

1. Dieu lune.

et les arbustes de la clairière, secoués par le corps à corps, oublient ce qu'ils ont vu.

Lorsque Gilgamesh reprend conscience, il se retrouve couché en travers d'un monstre aux dents de bronze, aux ongles de silex : l'adversaire qu'il a terrassé. Un ours.

Ses efforts l'ont épuisé. Il est affamé et il prend son premier vrai repas depuis longtemps, à même la bête qui lui fournit sa nourriture.

Pendant qu'il mastique, un souvenir lui revient. Enkidou-chasseur, au milieu des herbes de la steppe et sa danse de joie sur le soir qui tombe. Alors, Gilgamesh brandit à son tour le quartier de viande qu'il vient de découper et le lève vers la vision de son ami, comme s'il trinquait à sa santé :

— Enkidou, regarde ! Gilgamesh mange la montagne !

Son rire donne des couleurs à la nuit qui s'achève.

Après manger, il dépouille l'ours et se taille des vêtements dans sa fourrure, qu'il coud avec du lierre. Puis, il reprend sa quête, plus déterminé que jamais.

*
* *

Les lunaisons de marche succèdent aux lunaisons de marche. Gilgamesh n'est plus qu'une volonté en mouvement. L'humain le déserte. Son corps fond, ses muscles secs enserrent ses os, sa peau tannée par les intempéries, les coups, la fatigue, est maculée de vieux sang, de terre, de sucs de plantes.

En le voyant, vêtu de sa peau d'ours, avec ses cheveux longs qui bouillonnent sur ses épaules, mêlés de ronces et d'écorces, qui pourrait encore dire : « Voici Gilgamesh, le puissant roi d'Ourouk ! »

Il ressemble à une ombre. Il a tout oublié de son passé, sauf Enkidou, son ami, et l'horreur de sa mort.

La montagne est interminable. Qu'importe ! Il abat la montagne.

D'autres adversaires se mesurent à lui : loups, lions, panthères. Des êtres à l'apparence humaine, aussi. Petits, mais vigoureux, au front bas. Expérience des dieux sans doute, dissimulée au creux des monts. Ils lui rappellent Enkidou à ses débuts. Ils l'attendrissent, mais eux, hostiles, l'assaillent.

Alors, il répond à leurs coups et les laisse sans vie, sur un linceul de mousse et de feuilles.

La mort ne le quitte pas. Elle lui ouvre le chemin. Il croit aller de l'avant. En réalité, il fuit, chassé par la peur de mourir.

Un jour enfin, la montagne est franchie. Devant lui, s'étend une plaine infinie. Il l'attaque avec ses armes favorites : volonté et endurance.

À l'extrémité de la plaine, une nouvelle épreuve l'attend : deux colossales falaises noires ! Elles touchent le ciel. Elles ferment la terre. C'est un verrou qui unit le Bas et le Haut. La preuve que Terre et Ciel ne forment qu'un domaine.

— Les Monts-Jumeaux ! s'exclame Gilgamesh en tremblant. Le commencement du monde !

Entre les deux falaises, un étroit défilé. Shamash l'emprunte chaque matin, après sa course nocturne sous la terre.

— Le but du voyage ! Je suis au but. J'ai vaincu ! Gilgamesh plus résistant que le chemin !

Il crie d'une voix rauque et, ragaillardi par sa victoire, il s'avance pour avaler la dernière étape.

Mais il se trompe. Il n'est pas au bout de ses peines, car au pied des Monts-Jumeaux, deux êtres l'ont aperçu. Deux Hommes-Scorpions impitoyables, mâle et femelle, postés en sentinelles.

— Un homme ! annonce le mâle.

— Le premier depuis que nous montons la garde. Ils existent donc, répond la femelle.

Leur cuirasse brille sous la lumière et leur dard, impatient de servir, se balance.

— Ce n'est pas un homme ordinaire. Regarde ! Il est entouré d'une coque de lumière. Il brille comme une étoile.

— Un protégé des dieux ! ironise la femelle. On nous gâte !

Quand Gilgamesh les aperçoit enfin, sa joie tombe d'un coup. Il saisit une flèche dans son carquois et arme son arc, prêt à décocher.

Les gardiens ont vu le geste. L'homme est en lambeaux, mais capable de dégâts. Il faut ruser.

— Rassure-toi ! crie le mâle, de loin. Nous ne sommes que des sentinelles. Nous veillons.

— Sois sans crainte ! Approche !

Leur voix crisse comme du sable sur du fer. Le boyau de l'arc reste tendu et la flèche ne manquera pas sa cible. En signe d'apaisement, les Hommes-Scorpions abaissent leur éperon et le flattent.

— Jamais aucun homme n'est parvenu jusqu'à nous !

— Tu ne dois pas être n'importe qui !

— Non. Je suis Gilgamesh.

— Le fameux Gilgamesh, siffle la femelle. C'est donc toi ? Pas étonnant que tu sois le premier sur nos terres !

— Fais étape. Tu as l'air épuisé. Qu'est-ce qui t'a mis dans un pareil état ?

— Le chemin !

— Il en existe tant d'autres. Pourquoi celui-là ?

— Parce que c'est le mien !

Les deux Hommes-Scorpions se regardent. Leur visiteur reste sur ses gardes. Ils semblent embarrassés.

— Tu t'es peut-être trompé de direction, reprend le mâle, conciliant. Regarde...

Il indique les Monts-Jumeaux.

— Où veux-tu aller maintenant ?

— Nulle part ! Je veux voir Outa-napishti, le Vivant !

— Tu ne le trouveras pas ici. Il habite au-delà des portes du Soleil. Et pour l'atteindre, il faut traverser le passage, là, derrière.

Le mâle s'écarte et le défilé apparaît, minuscule, entre la masse des deux monts.

— J'avais un ami, poursuit Gilgamesh. Enkidou. Il est mort et je l'ai couché sous le rempart de ma ville. Il ne se relèvera plus... Je veux connaître le secret de la vie. Voir l'argile de l'homme, encore molle, commencer à prendre et à frémir. Le Vivant sait. Je veux savoir aussi.

— Il ne suffit pas de vouloir, ricane le mâle. Ce n'est pas toi qui décides. Mais si tu y tiens, après tout... Vas-y.

Des nuées sombres s'échappent alors du passage et roulent au-dehors, avec un fracas d'avalanche. Malgré lui, Gilgamesh recule d'un pas et le mâle en profite pour lui asséner un autre coup :

— Tu as raison d'hésiter. C'est une épreuve. Cent mille pas dans l'obscurité de ta vie. Et cent mille de tes plus noires pensées pour compagnes !

— Si tu préfères renoncer, je peux t'offrir un raccourci, lui propose la femelle.

Elle n'attend que cette occasion et s'avance en dandinant de l'aiguillon. Une goutte de venin perle à la pointe.

Gilgamesh range sa flèche dans son carquois et brandit aussitôt sa hache et son épée. Au moindre geste, il les massacre tous les deux. Les monstres n'insistent pas et s'écartent. Alors, Gilgamesh s'élance vers le défilé qui l'attend.

— N'oublie pas ! lui crie le mâle. Cent mille pas... Cent mille pensées !

14

À peine entré, un choc terrible le frappe...

À peine entré, un choc terrible le frappe au creux des reins et le projette violemment contre une paroi. Qui frappe ? Qui est là, dissimulé dans le noir ?

Il se retourne, fouille l'obscurité. Rien. Mais un nouveau coup, soudain, lui traverse la poitrine. Un épieu en plein cœur. Il hurle. De douleur, de rage. L'assaillant est insaisissable.

— Montre-toi !

Un souffle immonde lui répond. Une voix d'entrailles qui fait trembler les parois. Une odeur suffocante, de sueur, d'écume. Gilgamesh sait maintenant qui est là. Il reconnaît le martèlement des sabots qui s'éloignent et la galopade qui revient pour l'encorner.

— Taureau !

La bête apparaît dans la pénombre, telle qu'il l'a laissée, toute dépenaillée devant le temple d'Ishtar. Il essaie d'amortir ce nouveau choc. Mais comment se protéger ? Il s'écroule à genoux. Il porte les mains à sa poitrine déchiquetée, tâte la blessure mais ne trouve rien. Aucune entaille. Aucune déchirure. Son adversaire n'est qu'une illusion. Seule sa douleur est réelle.

Il se relève, brisé. Le silence retombe dans le passage. Dérisoire répit. Déjà, un nouvel ouragan s'abat sur lui, l'étouffe, l'étrangle.

Soulevé du sol, paralysé, il sent contre son corps une surface lisse et dure, nourrie en profondeur par des courants de feu. L'étreinte le brûle, par le chaud, par le froid, et une voix de vieux bois millénaire brame dans le noir :

— N'attends plus, Gilgamesh. Allez ! Prends ma vie et attire le malheur sur la tienne.

Le dernier sursaut de Houmbaba !

Alors, Gilgamesh reçoit les coups qu'il a portés au géant, ceux d'Enkidou, et leur joie furieuse lorsqu'ils dansaient lui déchire la gorge et le ventre.

Puis, tout s'arrête. Houmbaba emporte son vacarme. Gilgamesh reste avec sa part de souffrance. Il pense à la mise en garde des Hommes-Scorpions.

« Cent mille pas dans le noir... Cent mille pensées... »

Il vient à peine d'entrer. Que faire ? Rebrousser chemin ? S'offrir à l'aiguillon des deux gardiens ? Renoncer ? L'idée lui écorche le cœur. Il n'a jamais renoncé.

— Accepter ! murmure-t-il. Accepter... Accepter...

Et les mots, à mesure qu'il les prononce, lui dévoilent une vérité inattendue : le défilé des Monts-Jumeaux, c'est lui ; c'est toute sa vie ramassée. L'obscurité impénétrable, c'est la noirceur accumulée de tous ses actes, de sa violence, de son mépris...

— Accepter, répète-t-il. Pas d'autre chemin... Au bout, la vie-sans-fin...

C'est ainsi qu'il reprend sa marche d'aveugle. C'est ainsi que la tourmente recommence à mugir.

Des hurlements d'abord. Un essaim de hurlements stridents l'entoure, l'étourdit. Chaque cri est une flèche. Il reconnaît la voix des Cèdres assassinés. Les troncs qui explosent sous les coins de fer, le bois qui fend, la sève qui pleure. Et il accepte le malheur de la Forêt mise en coupe.

— J'ai porté ces coups. Je les reçois. Je mange ma vie.

Une sombre procession s'avance alors dans les traces de la forêt : tous ses combats, les rois massacrés, les villes rasées, les peuples réduits en esclavage, ses ruses, les incendies, les pillages...

« Cent mille pas dans le noir... Cent mille pensées... »

Tout lui revient. Tout est là. Et il cueille le chagrin, boit le sang versé, les larmes répandues, saigne, pleure, endure.

— Je suis venu reprendre ce que j'ai donné...

Jadis, il entassait son butin dans son filet de guerre. Maintenant, chaque douleur apaisée est un trophée qui vient emplir son filet de paix et il supplie qu'on lui rende tout le mal qu'il a infligé.

— J'accepte... J'accepte...

Un autre mot, pourtant, fermente dans son cœur, qu'il n'arrive pas à dire, tant il brûle. Un mot terrible.

Souvent, il s'arrête, découragé, pleure sur lui, appelle Shamash à l'aide. Mais la lumière de son dieu ne parvient pas à percer l'obscurité.

« Cent mille pas dans le noir... »

Son fardeau de chagrin s'alourdit à mesure qu'il avance. Il obstrue le passage. Il se coince. Ce n'est plus le poids de sa vie qu'il traîne derrière lui, c'est la montagne elle-même. Et ce mot muet dans son cœur, qui tourbillonne jusqu'au vertige.

« Cent mille pas... »

L'obscurité soudain s'éclaircit. Une lueur l'appelle, au loin. Mais les parois, au même instant, se resserrent sur lui. Cette lueur alors ? Hallucination de souffrance ? Ultime cruauté de la montagne qui lui laisse espérer la liberté, avant de l'écraser ?

Pourtant, la pression des Monts-Jumeaux ne semble pas hostile. On dirait qu'ils l'aident, qu'ils le poussent. Devant, la lueur devient clarté. De l'air frais lui parvient. Le défilé se change en chenal, en boyau. Il rampe. La vie-sans-fin est à portée de main. Il rassemble ses dernières forces, se jette en avant et la montagne, qui l'aide d'une contraction profonde, l'expulse hors de son ventre. Sauvé !

Avant de perdre conscience, le mot imprononçable coule enfin de ses lèvres :

— Pardon...

*

* *

Longtemps après, il ouvre les yeux. Son corps fourmille de fatigue et une lumière étrange l'entoure. Elle chauffe sans brûler et enveloppe ses membres. Elle chatoie et, sous sa caresse, ses douleurs fondent.

Il veut se redresser, voir les lieux, faire quelques pas. Mais une volonté plus forte le maintient immobile.

Une musique lui parvient. Un tintement. Comme de minuscules cloches de bronze. Ou la lumière elle-même. Oui ! La lumière qui ondule sous la brise.

Il parvient à s'asseoir et se découvre au milieu d'un verger, planté à perte de vue d'arbres fruitiers. Mais quels arbres ! Tous couverts d'une magnifique récolte de pierres fines. Ce sont elles, en filtrant la lumière, qui le baignent de leur douceur. Elles qui réparent ses blessures.

Gilgamesh se lève alors et s'avance vers les

arbres, va de l'un à l'autre en s'émerveillant, effleure les feuillages, soupèse les fruits, hume, goûte.

Cet arbre porte des grenats. Celui-ci est couvert d'agates dont les rires amusent tout le verger. Là, de la diorite, franche et fidèle. Plus loin, un bouquet d'ambres l'attire et il reçoit comme une averse, leur lumière dorée. Il traverse un buisson de cornalines, salue des albâtres, pleins de sérénité, reconnaît encore des jaspes rouges, une calcédoine, des serpentines, une marcassite fière de sa pureté, une majestueuse lazulite, des calcaires blancs dociles, des basaltes...

Cette promenade le métamorphose. Il n'est plus le même. Des pensées lui viennent à l'esprit : souvenirs oubliés, amis lointains... Ce Jardin-des-Arbres-à-Gemmes ne lui est pas étranger. Il le connaît. Il l'a déjà parcouru. Mais quand ?

La question lui donne le frisson et les arbres, à l'unisson, frissonnent avec lui.

Il répète :

— Quand ?

Et la même onde les électrise, les arbres et lui, comme s'ils n'étaient qu'un seul être vivant. Une réponse l'effleure, mais il n'ose pas l'entendre.

— Parle ! l'encourage une voix amie.

C'est Shamash. Shamash qui n'a pas voulu se manifester lorsqu'il était dans l'épreuve du noir et qui se montre.

— Parle ! Tu sais !

Et Gilgamesh répond, comme si en lui, un autre prenait la parole.

— Le défilé des Monts-Jumeaux, c'était moi. J'ai accepté d'en boire toute la lie. Ce jardin, ces arbres, cette récolte, c'est encore moi et ils m'offrent un festin de lumière.

— Oui, poursuit Shamash. Toi, tel que tu étais au premier matin de ta vie. Tel que tu t'es oublié. Tel que tu es demeuré sous les salissures.

— Alors, je suis arrivé, Shamash ! Dis, la vie-sans-fin, je l'ai trouvée !

Shamash se tait et Gilgamesh, à ce silence, comprend qu'il n'a parcouru qu'une étape de plus. Il est déçu et sa déception, aussitôt, ternit l'éclat de ses arbres. Le doute éteint son cœur.

Il faut encore lutter...

15

À quoi bon demeurer là...

— À quoi bon demeurer là ! Ce n'est pas un jardin que je veux. C'est toute la terre qui le porte !

Il referme son cœur sur ses joyaux et reprend sa course folle.

Quelques jours après, il atteint un rivage.

— La mer ! s'exclame-t-il en tombant à genoux.

Une plage de sable fin, un ressac paisible, un ruban d'écume où chuchotent les coquillages.

— La mer d'eau salée qui encercle la terre

habitée par les hommes. Je suis aux confins du monde.

Il regarde l'horizon marin, il regarde le rivage et se laisse imprégner par l'énergie des lieux.

— Le pays d'Outa-napishti l'Éternel !

Au loin, une barrière de rochers ferme la plage. Gilgamesh la voit et une certitude jaillit en lui.

— Là-bas !

Il se relève et se précipite.

Les rochers dissimulent une crique protégée des vents. Une bicoque de briques séchées se dresse au pied d'une dune et contemple la mer.

— Une cabane pour un immortel ! murmure Gilgamesh. Le plus humble des coffrets pour le trésor des trésors !

Plus aucun doute n'est permis. C'est bien là que les dieux ont caché Outa-napishti. Et voici son palais.

Il reprend sa marche, heureux d'en avoir terminé. Mais à mesure qu'il approche, le domaine de l'immortel se précise. Des jarres sont alignées le long d'un mur, tout près d'une cuve de fermentation pour la bière... Une femme va et vient devant la maison. Et Gilgamesh comprend qu'il s'est encore trompé.

— Une taverne ! C'est une taverne ! Et je l'ai prise pour une demeure d'éternité !

Nouvelle pirouette des dieux qui se complaisent à le torturer ! Nouveau pied de nez ! Il est hors de lui. Il s'en veut d'avoir mordu à leur appât.

La rage au ventre, il s'élance. Puisqu'ils sont hors d'atteinte, c'est leur obstacle qu'il va fracasser ! Le rivage gronde sous sa course. Une nuée d'orage couvre sa tête. La tavernière voit une bourrasque approcher, avec un géant à sa tête. C'est la mort qui fond sur elle. Elle prend peur. Elle se précipite à l'abri dans sa maison et s'y barricade.

Mais Gilgamesh est déjà là. Il hurle, secoue la porte. Les gonds gémissent.

— Ouvre, femme ! Ou je transforme ta masure en un champ de tessons !

Ses murs ne résisteront pas, sa porte non plus. Sidouri la tavernière est seule et l'histoire de sa vie a été écrite par les dieux. Elle ne peut qu'accepter de la vivre. C'est son unique liberté. Alors, elle déverrouille sa porte et paraît sur le seuil. La colère de Gilgamesh tombe d'un coup.

Sidouri suffoque. Elle résiste pour ne pas reculer. L'être, dont la haute silhouette la domine, pue comme un fauve. Il est sale, décharné, revêtu de loques de fourrures et ses yeux brillent d'un éclat effrayant.

Gilgamesh, lui aussi, résiste pour ne pas reculer. Depuis des mois, il n'a rencontré que des bêtes, des obstacles, des épreuves mortelles. Et soudain, devant lui, la transparence d'une source, la légèreté d'un sourire, la fraîcheur d'une pâture...

— Femme, dit-il de sa voix cassée par la solitude, tu m'as vu et tu as fui. Pourquoi ?

— Parce que ce n'était pas un homme qui courait, mais la mort. Et j'ai pris peur.

La tavernière le voit désemparé par sa réponse. Elle regrette sa franchise.

— Profite de ma maison, lui propose-t-elle. Bois ma bière. Repose-toi.

Elle lui offre une gourde qu'il vide d'un trait. Puis il s'assoit contre le mur chaud de la taverne et entame une jarre de bière épicée.

Les parfums de la boisson raniment sa mémoire, font reverdir son corps, comme l'Euphrate les jardins d'Ourouk. Il entend la voix de sa ville qui murmure. La fatigue tombe sur lui et la tristesse aussi.

— Parle, l'invite Sidouri. Je vois bien qu'un chagrin verrouille ton cœur.

Elle s'accroupit devant lui et prend sa main.

— Confie-toi.

Et Gilgamesh, dénoué par la douceur de Sidouri, commence à raconter.

— Mon chagrin porte un nom : Enkidou. Il est né sauvage, dans la steppe, et j'ai eu peur de sa force. J'ai décidé de le briser et, pour cela, je lui ai tendu un piège afin de le changer en homme. Mais le piège s'est retourné contre moi : Enkidou est devenu mon ami. Je l'ai aimé. Il a illuminé ma vie. Avec lui, j'ai conquis la Forêt des Cèdres, vaincu Houmbaba son gardien, terrassé le Taureau d'Ishtar. De grands exploits !

Mais, un jour, la mort l'a couché et il ne s'est plus relevé. J'ai compris que moi aussi je me coucherai un jour et que plus jamais je ne me relèverai. Alors, j'ai décidé d'aller chercher la vie-sans-fin.

Sidouri caresse sa main, toute bourrelée de corne.

— Cesse de pourchasser une ombre, Gilgamesh, murmure-t-elle avec douceur. La vie-sans-fin n'est qu'un rêve, tu le sais bien. Un trésor que les dieux ne veulent pas partager. Tout finit par disparaître sur la terre. Rien ne dure éternellement. Ni les maisons qui s'écroulent, ni les royaumes qui tombent en ruine, ni les serments que l'on trahit toujours, ni l'amour, ni la haine... Profite de la vie, plutôt, pendant que tu la tiens. Cesse de t'épuiser à courir le monde. Regarde-toi. Tu es comme un potager après le passage de la grêle.

Sidouri... dorée comme sa bière. Sidouri... sa voix, plus suave que les dattes. Sa peau, plus tendre que les plantes aquatiques...

— Reste avec moi ! Je te redonnerai tes mains d'homme pour caresser, ton corps d'homme pour aimer, ta vie d'homme pour oublier que tu n'es pas un dieu.

Gilgamesh l'écoute et songe à Enkidou, plus que jamais son semblable. Il a tourné le dos à sa vie passée, oublié les raffinements de son pays. Il est redevenu sauvage et, comme son ami quand il était primitif, le voici seul avec une femme.

— Et si cette tavernière était un piège ?... s'interroge Gilgamesh. Qui l'a tendu pour moi ? Qui peut vouloir que je reste ici, loin de tout ? Qui, sinon les dieux qui ont peur que je réussisse à devenir immortel ?

Il se dresse soudain, décidé à partir, et Sidouri comprend qu'elle ne le retiendra pas.

— Où se cache Outa-napishti ? Dis-le-moi !

— De l'autre côté de la mer, répond-elle en désignant le large. Renonce. Personne n'a jamais traversé. À part Shamash, tous les matins, de sa longue foulée et Our-Shanabi le passeur.

— Et où est-il ce passeur ?

— Là derrière, dans la forêt, avec ses gens. Mais rien ne dit qu'il voudra t'emmener.

— C'est bien ce qu'on verra !

Il part aussitôt, franchit les dunes en deux enjambées, arrive dans la forêt et appelle.

— Our-Shanabi ! Où es-tu, passeur ?

Des bruits de feuillages lui répondent. Comme ceux d'une troupe de rabatteurs en quête de gibier.

— Our-Shanabi ! Montre-toi !

Soudain, Gilgamesh est encerclé par un groupe de guerriers à la cuirasse grise. Il dégaine sa hache, tire l'épée de son fourreau et charge sans merci. Le bronze des armes tinte, crache des étincelles. L'air sent le silex battu. Les assaillants cèdent, tombent les uns après les autres, jusqu'au dernier.

Le combat terminé, au lieu des corps de ses adversaires, Gilgamesh ne découvre que gravats et blocs de roche fracassée.

— Des Êtres de pierre !

En parcourant le champ de bataille, il tombe

sur un homme, tapi dans un buisson, épouvanté par le désastre : Our-Shanabi.

Gilgamesh le saisit, l'entraîne sur le rivage et lui montre la mer.

— Outa-napishti... Là-bas... Fais-moi passer !

— Comment veux-tu que je fasse, malheureux ! Tu viens de détruire mes outils !

— Tes outils ?

— Oui, Ceux-de-pierre que tu as massacrés ! Ils se mettaient à l'eau, lorsque nous abordions la Passe de la Mort et remorquaient le bac. Cette eau-là, une seule goutte sur ta peau et tu meurs ! Eux étaient protégés. Sans eux, plus moyen de traverser !

Tout est perdu. Gilgamesh, une fois de plus, a fait usage de sa force colossale. Une fois de plus, il a vaincu. Une fois de plus, sa victoire se retourne contre lui...

Il se laisse tomber devant la mer. Ses efforts, sa tension, ses privations n'ont servi à rien. Il ne rencontrera jamais Outa-napishti.

Pourtant, dans la tourmente de son cœur, une voix lui parvient. C'est Our-Shanabi, bouleversé par la détresse de ce grand homme.

— Il y a peut-être un moyen ! propose-t-il.

Gilgamesh ne répond pas. Il se contente de lever les yeux vers lui.

— Il faudrait que tu coupes des arbres de trente mètres de longueur. Cent vingt arbres. Et que tu les tailles en pointe. Et que tu les durcisses au feu. Ils serviraient de rames. Ainsi, nous pourrions franchir la Passe jusqu'à l'autre rive. Mais j'ai bien peur que ce soit impossible.

Gilgamesh est ému. Pour la première fois, il sent le goût salé des larmes.

— Qui es-tu, Our-Shanabi ? lui demande-t-il. Je tue tes serviteurs et tu me rends la vie...

Il se lève.

— Cent vingt arbres, dis-tu. C'est comme si c'était fait ! Prépare le bac.

16

Gilgamesh abat les cent vingt arbres...

Gilgamesh abat les cent vingt arbres, les ébranche, les taille, les durcit, les charge dans le bac et Our-Shanabi hisse la voile sans attendre. Cap au large !

Le vent comprend leur impatience et, dès qu'ils ont quitté l'abri du port, les saisit dans sa main robuste et les emporte à la vitesse des grands oiseaux marins. Ils bouclent ainsi en trois jours un voyage d'un mois et demi.

Mais soudain, le vent tombe, la mer s'étale et la brume se dresse devant eux.

— Voici la Passe ! prévient Our-Shanabi. Saisis une perche, glisse-la dans le flot et cherche le fond. Ensuite, prends appui sur l'extrémité immergée et fais avancer le bac. Une poussée régulière, mais ferme. Puis abandonne cette perche et recommence avec la suivante. Surtout, rappelle-toi bien : pas un remous, pas une éclaboussure, sinon tu es perdu. Et ceci encore : ton impatience à la dernière perche peut effacer toutes les précautions que tu auras prises avant.

Alors Gilgamesh obéit et s'applique à suivre les recommandations du nocher[1]. Il plonge une perche, puis une deuxième, une dixième, une vingtième. Le bac glisse sans à-coups. Son étrave se découpe un chemin dans la Passe. La brume absorbe le froissement de la coque de roseaux, le gémissement des perches qui descendent vers le fond, le souffle des deux hommes. Les monstres de la Mort, tapis dans la brume, guettent un empressement, une maladresse, un instant de distraction.

Cinquante perches. Cent. Our-Shanabi, à la poupe, maintient les pales du gouvernail, de sa main sûre. À la proue, Gilgamesh propulse l'esquif.

---

1. Pilote du bac.

Cent dix. Cent dix-neuf. Et la brume toujours, comme un défi.

Gilgamesh saisit la dernière perche. Ses gestes sont empreints de mesure et de lenteur. Il la tient fermement, s'apprête à la plonger et hésite soudain. Aucun signe qu'ils atteignent l'extrémité de la Passe. Et le silence toujours, l'eau, la brume à l'affût de leur proie...

Gilgamesh regarde Our-Shanabi et doute.

— S'il m'avait trompé celui-là, pour venger le meurtre de ses gens ? Si sa générosité n'était qu'une feinte ? S'il m'avait conduit au-dessus d'un gouffre pour que la dernière perche m'y précipite ?...

Un feu embrase soudain son esprit.

— Et pourquoi pas jeter cette rame par-dessus bord ! Nous éclabousser tous les deux ! Et pourquoi pas lancer ma dernière rage à la face des dieux avant d'en finir une fois pour toutes !

Le feu s'apaise et Gilgamesh prend conscience, une fois encore, qu'il est son pire ennemi. Capable de détruire, sur un coup de colère, l'œuvre qu'il a tant peiné à construire.

Alors il se calme, plonge la cent vingtième perche, comme il a plongé les autres, pousse de toutes ses forces, sans se hâter et, soudain, la brume se fend, le ciel s'allume et le bac heurte une rive. Ils ont atteint le pays d'Outa-napishti !

À la proue, Gilgamesh reste figé de déception. Une mince plage borde la mer, couverte de cendres et de lave durcie. Plus loin, la côte qui s'élève révèle une terre aride, parsemée d'herbes sèches et d'arbustes chétifs. Des odeurs d'égout. Un lieu de misère...

— Ça, le refuge d'un immortel !... C'est aussi sinistre que le monde d'En-bas ! Les dieux se sont bien moqués de toi, Outa-napishti !

Il débarque d'un bond et arpente le rivage en fulminant. Des sifflements crissent dans l'air et répondent à sa colère.

— Outa-napishti ! Cesse de jouer au plus fin ! Montre-toi maintenant !

— Mais je suis là, répond une voix tranquille.

— Où ça ? Je ne te vois pas.

— Moi, si !

Gilgamesh se sent épié, manipulé. Il enrage.

— C'est ta colère qui dresse un écran entre nous. Si tu pouvais t'apaiser, ne serait-ce qu'un instant... tu me verrais.

Cette voix est accueillante. Elle apaise et inspire confiance.

— Je t'accepte tel que tu as choisi de te montrer, étranger, mais tu pourrais être tellement différent. Si tu savais !

Cette voix ressemble à celle de Shamash. Sa bienveillance rassure Gilgamesh. Il se calme et, aussitôt, tout se transforme. Le rivage s'illumine. Un sable blond couvre la plage. Une oasis occupe la falaise. Des moutons y pâturent et une douce brise atténue le feu du soleil.

— Tu vois ! Ce n'est pas plus difficile que ça...

Outa-napishti apparaît à son tour. Il est petit, mince, vêtu d'une tunique de lin blanc et son visage est transparent comme un bassin d'eau fraîche. Il regarde Gilgamesh avec un sourire de bienvenue.

— Qui es-tu donc, visiteur ? Et que veux-tu ?

— Je m'appelle Gilgamesh. Je suis roi et homme, du côté de mon père, qui était l'un et l'autre. Mais je suis dieu aussi, en partie, du côté de ma mère, la déesse du gros bétail.

Par sa façon d'écouter, Outa-napishti encourage la parole, et Gilgamesh, soulagé d'avoir atteint son but, confie sa vie sans retenue. Il dit sa façon de régner, brutale, autoritaire. Il dit ses provocations, ses violences. Il n'oublie rien. Il dit aussi son désarroi devant le cadavre de son ami. Il dit sa propre terreur de la mort.

— Voilà ! conclut-il. J'ai usé mon corps dans la montagne. J'ai usé mon cœur en acceptant mon passé, en prenant tous les torts à ma charge. J'ai usé mon vieux cuir d'homme et me suis vêtu de fourrure de bête, en espérant qu'une autre peau me pousserait. J'ai bataillé contre moi-même pour trouver ta retraite et me voici. Donne-moi, je t'en prie, le secret de la vie-sans-fin. Je le mérite. Oh oui, donne-le-moi et apaise mon chagrin !

Outa-napishti ne répond pas. Il regarde ce géant que ses illusions ont délabré. Il mesure sa grande endurance, son grand courage. Mais il hésite à parler. Il sait qu'il va le faire souffrir. Alors, avec d'infinies précautions dans la voix, beaucoup d'amour dans le cœur, il répond :

— Je ne peux rien te donner, Gilgamesh. Tout ce que tu désires, tu le possèdes déjà.

Gilgamesh écoute ce jugement foudroyant qui consume son rêve.

— Ton destin a été écrit, tu le sais, avant l'aurore qui se levait sur ton premier matin. Je n'ai pas le pouvoir de le corriger. Mais tu devrais prendre le temps de lire ta tablette de vie avec plus d'attention.

Outa-napishti n'a pas achevé que Gilgamesh se jette sur lui, comme un fauve.

— Donne le secret ! Donne ! Sinon, je te le fais cracher !

Un orage éclate soudain. La foudre, autour d'eux, jette ses crépitements bleus. L'air sent la pourriture. Le sol grouille de serpents et les moutons qui paissaient sur la falaise se changent en démons.

Gilgamesh lâche Outa-napishti, dégaine son épée et se met en garde. Les démons jubilent, dardent leurs aiguillons et leurs crocs, provoquent leur proie, pendant que les serpents enserrent déjà ses jambes.

— Ce n'est pas le bon moyen, Gilgamesh. Tu t'abîmes.

Cette voix, au-dessus de la fureur.

— Réfléchis, Gilgamesh ! Regarde bien autour de toi et réfléchis !

Cette voix d'un père qui encourage son fils à comprendre ses erreurs.

Gilgamesh baisse sa garde. Les monstres se calment.

— Le sauvage, le pourri, le féroce, c'est... mon cœur.

Il se tait. Il pense au Jardin-des-Arbres-à-Gemmes. C'était son cœur aussi. Le meilleur habite avec le pire.

— Choisis ! répond Outa-napishti qui lit toutes ses pensées. Cette liberté-là, tu la possèdes. Jusqu'à maintenant, tu as toujours préféré le pire. Fais-en usage pour le meilleur ! Tu le peux. Mais un ennemi t'en empêche. Un ennemi en toi : ta force !

La voix d'Outa-napishti s'est durcie.

— Un ennemi, oui ! Parce que tu l'utilises sans discernement. Pour un oui, pour un non. Tu fonces et tu casses. Et tu te redresses, tu es fier. Cela te donne l'impression d'avancer. Mais ta force est un raccourci, Gilgamesh, et c'est en prenant les raccourcis qu'on s'égare ! Vois où elle t'a conduit !

Le rivage de l'arrivée a disparu. Gilgamesh, maintenant, se trouve au milieu d'un jardin. Crevé d'herbes folles, les légumes s'y étiolent, les plantes fanent et les canaux, mal curés, sont obstrués par la vase. Le plus pitoyable des potagers de Sumer !

— Est-ce là le domaine d'un roi ? lui demande Outa-napishti. Les dieux ne t'ont pas offert la royauté pour que tu négliges ton jardin, pour que tu batailles au loin, que tu les jalouses au point de vouloir devenir l'un des leurs. Tu as mieux à faire. Tu es un homme, alors fais régner l'homme. En toi, en chacun.

Gilgamesh écoute sans protester. Ce langage résonne en lui. Il le connaît sans l'avoir appris, mais il ne l'a jamais parlé.

« En suis-je capable ? Et comment l'apprendre ? »

Il va poser ces questions à son hôte, mais une autre les devance.

— Est-ce que je serai immortel, ainsi ?

— Oui, tu seras immortel ! Comme tous ceux qui ont fait briller l'esprit, qui ont accompli une œuvre juste. Non seulement personne ne t'oubliera, mais chacun portera en lui une part d'humanité que tu auras donnée. Voilà comment tu deviendras immortel !

— Mais cette immortalité n'est pas la même que la tienne !

— Non ! Mais c'est celle qui te convient. Chacun raconte sa propre histoire et les histoires de chacun s'additionnent pour composer la grande histoire du monde. Ta part est immense dans ce récit. Ne la néglige pas. Accepte-la !

À mesure qu'Outa-napishti explique, le visage de Gilgamesh se ferme.

— Alors, dit-il, je vais mourir malgré tout... Qu'est-ce que tu as de plus que moi, dis, pour mériter de vivre éternellement ? Pourquoi as-tu cette chance ? Pourquoi pas moi ?

— C'est à cause du Déluge, répond l'immortel. Une vieille aventure. Si tu veux la connaître, allons dans ma maison. Nous serons plus à l'aise pour converser.

17

La maison d'Outa-napishti ne paie pas de mine...

La maison d'Outa-napishti ne paie pas de mine. Minuscule cabane de roseaux au bord d'une rivière. Mais quand ils y pénètrent, elle se révèle aussi vaste qu'un palais.

Une femme les y accueille. Petite, légère, le visage généreux, comme la pleine lune.

— Je te présente mon épouse, dit Outa-napishti. Elle ne m'a jamais quitté et m'a accompagné dans le grand voyage de l'Arche.

— L'Arche ?

— Je vais t'expliquer. Mais d'abord, assieds-toi

sur cette natte, mange un pain et bois une coupe de bière.

Quand Gilgamesh a bu et mangé, Outa-napishti entame son récit.

— J'étais roi, jadis, comme toi, et je régnais sur la ville de Shouroupak. Un jour que je priais dans ma maison, j'entendis une voix qui parlait à mes murs. Elle disait : « Palissade de roseaux, écoute-moi. Je détiens un secret que j'ai promis de ne pas révéler aux hommes. Il est très grave et je veux te le confier, car je sais que toi, chère palissade, tu te tairas. »

« J'avais reconnu la voix d'Ea, mon dieu, et compris que c'était à moi qu'il s'adressait en réalité.

« "Les dieux, poursuivit-il, ont décidé d'anéantir les hommes en les noyant sous un déluge d'eau. Il faut te mettre à l'abri, car personne n'en réchappera. Voici ce que tu vas faire.

« "Commence par démolir ton palais et récupères-en le bois. Il t'a vu vivre, il connaît ta voix, tes pensées. Il respire du même souffle que toi. Ce bois, c'est toi. Utilise-le pour construire ton refuge : une Arche[1], en forme de cube, de soixante mètres d'arête. Répartis sa hauteur sur sept étages,

---

1. Du latin *arca* : le « coffre ». C'est pourquoi l'Arche d'Outa-napishti était cubique, comme celle de Noé, bien plus tard.

autour d'un mât central qui servira de support. Aménage neuf chambres par niveau où tu entreposeras tout ce qu'il te faut pour vivre, à ta femme et à toi. Ensuite, attends mon signal."

« "Mais, Ea, lui demandai-je, que vais-je dire à mes sujets ? Quand ils vont me voir détruire ma maison, ils vont me prendre pour un fou."

« "Dis-leur qu'Enlil[1] est en colère après toi, qu'il veut te punir et que tu dois les quitter pour qu'ils soient épargnés. Quant au signal de l'imminence du Déluge, il viendra du ciel.

« "Un matin, il pleuvra du blé dur. Puis, quantité d'oiseaux se laisseront capturer, une profusion de poissons alourdiront les nasses. Et le soir, des averses de blé tendre achèveront cette journée.

« "Toi, n'écoute pas les cris de joie. Entre dans l'Arche avec ta femme, calfeutre-toi bien et attends. La fin du monde est proche."

« Tu imagines mon trouble, après une telle révélation ! ajoute Outa-napishti. Mais pas un instant je n'ai douté de mon dieu et j'ai suivi tous ses conseils, sans le moindre regret.

« J'ai donc démoli mon palais et construit un nouveau chez-moi. Pas seul, bien sûr. Tous mes

1. Enlil, fils d'Anou, deuxième dans la hiérarchie des dieux, Ea étant le troisième. Il exerce le pouvoir comme une sorte de Premier ministre.

charpentiers étaient là pour scier, mortaiser, ajuster, cheviller. Une fois la carcasse dressée, on la recouvrit de planches de cèdre et l'on fit fondre du bitume pour calfater les joints. Trente-six hectolitres et soixante-douze de plus à embarquer pour le voyage, en cas de besoin. Ea m'avait conseillé ces quantités. Elles étaient justes et leur signification, subtile. En effet, trente-six est le nombre du Ciel. Lui qui allait tout détruire, protégeait en même temps la coque de mon navire. Soixante-douze est le nombre de la Terre et c'est elle que j'allais emporter dans l'Arche avec moi, à travers tout ce qu'elle avait produit de bon et de beau. Quant à la somme du Ciel et de la Terre, cent huit, c'est le nombre de l'Homme.

« Je compris ainsi l'intention d'Ea. Il me confiait, à moi, la mission de faire naître de l'épreuve une nouvelle humanité. Ea qui voit loin est un grand dieu.

« Tous les travaux furent achevés en cinq jours.

« Alors, le chargement commença et chacun m'offrit, en souvenir, ce qu'il possédait de plus précieux. Le scribe apporta des tablettes de signes et un calame, le maçon un moule à briques et un niveau, le jardinier un palmier et une houe, le joaillier une lyre à tête de taureau et un creuset, le sculpteur une statue d'albâtre et un ciseau, le pêcheur un filet, le chasseur un arc, le berger une houlette...

« Tout le savoir des hommes à la tête noire trouva refuge dans l'Arche et, ainsi équipée, on la fit rouler jusqu'au fleuve sur un chemin de rondins. Après quoi, je donnai une grande fête, pareille à celle de l'Akitou du printemps, car c'était un renouveau de l'Homme que le désastre préparait.

« Le lendemain de cette fête, la première averse de blé dur se déversa sur le pays. Le signal ! Je frémis d'émotion. Mon peuple, lui, poussait des cris de joie en bénissant les dieux. Chacun se précipitait avec des paniers pour ramasser le blé, des arcs pour abattre les oiseaux, relevait les nasses chargées de poissons.

« Personne ne remarqua mon départ.

« Posément, je fis le tour de mon royaume. Je visitai mes troupeaux et mes parcs animaliers. J'y prélevai un couple de chaque espèce domestique et sauvage. Je les installai dans tous les compartiments de l'Arche, du niveau le plus bas jusqu'au plus élevé, selon leur aptitude à évoluer. Puis je fis monter mon épouse bien-aimée. Je refermai l'écoutille sur nous et la calfeutrai soigneusement, avec de la filasse et du goudron[1].

« Le compte à rebours était lancé. Nous attendions le grand commencement.

« Tout se figea soudain. Les bêtes et les choses savaient et se taisaient. Alors un choc sourd, au fin fond de l'espace, fracassa les digues du ciel et toutes ses réserves d'eau douce roulèrent en grondant, déchiquetèrent la voûte céleste et s'abattirent sur la terre.

« Les villes furent balayées d'un coup et les hommes, hachés comme de la paille. Rien ne résista. Tout fut broyé, battu, liquéfié. La nuit noircissait le monde, et les épées de la pluie saignaient l'obscurité à blanc.

« Même les dieux étaient terrifiés par ce qu'ils avaient provoqué. Ils en avaient perdu le contrôle et Déluge, tel un jeune monstre, n'obéissait qu'à lui-même et s'en donnait à cœur joie.

« L'Arche résistait bien. La crue l'avait emportée et elle dérivait, bercée par le flot du nouvel océan.

« Mon heure était venue. Une grande tension régnait autour de moi et je devais ramener la séré-

---

1. C'est ainsi que l'on a longtemps calfaté (c'est-à-dire rendu étanche) la coque des navires.

nité. Aussi, je descendis au premier niveau, celui des bêtes les plus féroces, et je restai longtemps, dans chaque compartiment, afin de les apaiser. Puis je recommençai avec les animaux du deuxième niveau, du troisième, et ainsi jusqu'au septième, en m'élevant le long du mât central de l'Arche.

« Dans chaque loge, je recueillais la peur, la cruauté, la fourberie, la panique, la brutalité, la soumission. En échange, j'offrais des contraires : la confiance, la bonté, la franchise, le calme, la douceur, l'indépendance. J'apprivoisais, j'éduquais, j'apprenais à chacun qu'il existait d'autres manières d'être que la sienne. J'accomplissais ainsi la mission confiée par Ea : enfanter une vie nouvelle qui, peu à peu, se rassemblait dans mon cœur.

« Lorsque j'eus terminé, je fis sauter l'écoutille et sortis à l'air libre.

« Dehors, un océan jaune s'étendait à perte de vue et des montagnes, çà et là, crevaient les eaux et pointaient leurs doigts vers le ciel.

« Immobile, l'Arche se remit à tanguer. Un faible courant l'entraînait. La décrue commençait.

« J'envoyai une colombe en éclaireur, avec une recommandation :

« “Va annoncer aux eaux limoneuses qu’une vie nouvelle est née dans l’Arche.”

« Elle s’envola, revint une fois sa mission accomplie, et se blottit en moi.

« J’envoyai alors une hirondelle, avec cette consigne :

« “Va dire que la vie nouvelle est prête à se développer.”

« Elle disparut, revint après m’avoir obéi, et s’endormit dans le cœur de mon épouse.

« Enfin, je libérai un corbeau en lui disant :

« “Tu es robuste et perspicace. Va ! Trouve un rivage et installe-toi sur la terre.”

« Le corbeau reprit sa liberté et ne revint jamais.

« Peu après, mon vaisseau s’échoua sur une rive. Aussitôt, j’ouvris toutes les écoutilles. Alors, la lumière intérieure de l’Arche jaillit et épousa la lumière du jour.

« Arrivé à terre, je dressai un bûcher pour remercier les dieux. Roseau, cèdre, myrte. Le parfum de la fumée les surprit et ils arrivèrent en se bousculant pour avoir l’explication de ce mystère.

« “Des hommes ! s’exclamèrent-ils. Il en reste donc ! Hourra ! Rien n’est perdu !”

« Tous étaient heureux. Ils dansaient comme

des enfants, soulagés de retrouver leur jouet favori, qu'ils croyaient perdu à jamais. Tous, sauf Enlil, d'une humeur massacrante.

« "Comment peut-il en rester ? vociféra-t-il en nous voyant. J'avais dit : 'Mort à l'homme et silence dans les rangs !' Qui a parlé ?

« — Moi ! se dénonça Ea.

« — Évidemment ! J'aurais dû m'en douter. Traître !

« — Absolument pas. Je n'ai pas trahi notre serment. Je ruminais ta décision à haute voix, car elle me troublait. Et Outa-napishti, qui était dans les parages, m'a entendu. Maintenant, si tu veux les faire disparaître, lui et sa femme...

« — Non, non ! protestèrent les autres dieux, bruyamment. Nous avons besoin des hommes ! Profitons de ces deux-là pour en refaire de nouveaux. Nous n'allons tout de même pas nous remettre à travailler !"

« Cela persuada Enlil.

« "Bon ! C'est entendu, gardons-les ! Et puis, tenez, puisque tout le monde applaudit, je ne vais pas bouder votre plaisir. J'y participe aussi en me fendant d'un cadeau."

« Il se tourna vers nous.

« "Voilà ! poursuivit-il sur sa lancée. Pour avoir

si bien survécu à mon Déluge, je vous fais immortels. Les maladies, le chagrin et la mort n'auront plus aucune prise sur vous. Mais... parce qu'il y a un mais, comme une nouvelle humanité va naître et que je n'ai pas envie que votre exemple fasse tache d'huile, vous vivrez seuls, au bout du monde, hors d'atteinte des hommes. C'est le prix à payer et pas question de discuter ! »

18

Comme tu vois, Gilgamesh...

— Comme tu vois, Gilgamesh, nous n'avions guère le choix. C'est ainsi que nous nous sommes retrouvés là. Tu sais tout, dorénavant.

Outa-napishti boit une longue gorgée de bière. Son récit lui a donné soif. Puis il se tait.

Mais sa voix continue d'agiter les pensées de Gilgamesh. Ces explications ne l'ont pas apaisé, au contraire, et son visage demeure fermé.

— Je n'étais pas à l'abri dans une Arche, moi, récrimine-t-il en silence. J'étais dans le déluge de ma vie ! Moi aussi, à l'intérieur des Monts-

Jumeaux, j'ai recueilli la peur, la cruauté, la fourberie. Moi aussi, j'ai affronté la tourmente et je l'ai chargée sur mon dos, dans mon filet. Et pour quelle récompense ? Qui sait mon tour de force ? Qui peut raconter et louer ma bravoure ? Est-ce que j'en serai plus honoré pour autant ?

Outa-napishti demeure impassible.

— Comment ai-je été assez bête pour croire qu'il m'aiderait, celui-là ?

L'immortel entend la jalousie de Gilgamesh et il le plaint.

— Veux-tu que nous tentions une expérience ? lui propose-t-il.

— Une expérience ?

— Oui ! Pour mesurer si tu es apte à vivre sans fin. C'est facile, rassure-toi. Il s'agit de rester... en éveil.

Il a détaché le mot, d'un souffle, mais Gilgamesh n'a rien remarqué.

— En éveil ?

— Ne pas dormir, si tu préfères. Pendant sept jours.

— Seulement ? Mais quand je marchais, je m'imposais des étapes d'une lunaison, sans fermer l'œil. Sept jours ! Tu parles ! Je commence tout de suite, si tu veux.

— Alors, allons-y. Ne pense qu'à maintenir ton esprit ouvert et ne te préoccupe pas des besoins de ton corps. Ma femme veillera à ce que tu ne manques de rien. Ni de boisson, ni de nourriture. C'est pourquoi, chaque jour, elle te cuira un pain.

— Enfantin ! dit Gilgamesh en se frottant les mains.

Il s'assoit en tailleur, s'adosse contre un mur et aussitôt... s'endort comme une masse.

— Tu sais à quoi t'en tenir maintenant ! lâche Outa-napishti.

Il n'éprouve ni joie ni déception. Il se désintéresse de son candidat à la vie-sans-fin et sort dans son jardin. Sa femme le rejoint.

— Tu ne crois pas que tu devrais le réveiller tout de suite ? suggère-t-elle. Pourquoi attendre ?

— Pour qu'il me croie ! Sans quoi, il protestera. Tu connais les hommes. Incapables d'accepter une vérité qui les dérange. Toujours à argumenter : « Oui, mais... oui, mais... » Non ! Laissons-le dormir. Il faut qu'il aille au bout de son erreur, pour bien la comprendre. Et toi, ne change rien. Chaque jour, cuis une fournée qu'il ne mangera pas. Les pains lui serviront de preuve.

Les jours passent. Les pains s'alignent, et lorsque le septième, tout parfumé et chaud, rejoint les autres, le premier est sec et sa croûte tombe en morceaux. Outa-napishti secoue Gilgamesh.

— Allons, debout ! Il est temps.

— Pardonne-moi, répond-il, confus, en sursautant. Je me suis assoupi. Mais je suis prêt. Commençons.

— Finissons, plutôt. Les sept jours sont passés. Tu as dormi. L'expérience est terminée. Tu n'es pas apte à l'immortalité.

Gilgamesh s'apprête à contester, mais il voit les pains. Le dernier, tout parfumé et chaud, et le premier, sec, dont la croûte tombe en morceaux. Une immense tristesse l'accable.

— Ainsi, admet-il enfin, la mort habite dans ma vie. Elle se couche à mes côtés dans mon lit. Elle me suit pas à pas, se glisse dans mon ombre. Je cours au bout du monde, elle me suit. Je m'abîme sur les chemins, elle embellit.

Il pense à sa fougue, le jour de son départ. Il mesure ce qu'il en reste, maintenant qu'il a atteint le but.

— Oh, la vanité d'un projet, lorsqu'on échoue ! murmure-t-il.

— Où vois-tu un échec ? répond Outa-napishti. Tu t'étais trompé, simplement, et tu commences seulement à l'accepter.

La voix du sage est redevenue douce et patiente.

— Reprends ta vie où tu l'as laissée. Une ville t'attend et tout un peuple. Ils comptent sur toi.

Gilgamesh voit sa ville, soudain, surgie des paroles d'Outa-napishti, si vivante, si active. Sa fatigue fait jaillir l'émotion.

— Oh, Ourouk ! dit-il en retenant un sanglot.

Ses lèvres se fendent. Du sang coule sur son menton. Il s'essuie et sent que son visage est craquelé, comme l'argile sous la canicule.

— Ta vieille peau se fend, Gilgamesh. Tu vois, c'est bon signe. Tu n'as pas échoué puisqu'elle est prête à tomber. Ne la retiens pas.

Il appelle Our-Shanabi.

— Raccompagne-le chez lui et aide-le à se nettoyer. Qu'il se décrasse ! Qu'il rase sa tignasse ! Qu'il revête des habits d'homme.

Puis il se tourne vers Gilgamesh.

— Rentre chez toi, voyageur intrépide. Tu n'as plus rien à apprendre de moi. Tu sais ce que tu dois savoir. Il te reste à en mesurer la portée, à vivre avec et à faire vivre autour de toi.

Tout est dit.

Gilgamesh rejoint Our-Shanabi qui s'éloigne vers le bac.

En le voyant, hébété, la femme d'Outa-napishti le prend en pitié.

— Ne le laisse pas repartir les mains vides. Aide-le. Parle-lui de l'Herbe de Jouvence.

Outa-napishti se laisse fléchir et rappelle Gilgamesh.

— Je vais te confier un secret, lui dit-il. Écoute-le et fais-en bon usage. Il existe une Herbe de Jouvence. Si tu en manges à la veille de mourir, tu gagnes une nouvelle vie, égale à celle qui s'achève. Sa tige est hérissée d'épines et son parfum, léger comme celui du jasmin. Elle pousse dans un gouffre, au fond de l'océan. Mais il n'existe qu'un seul moyen de l'atteindre : te laisser attirer par elle. Sache que tu en portes une semence dans le cœur. Capte son parfum. Il te conduira vers la plante.

Gilgamesh écoute comme s'il n'entendait rien. Il pense à l'océan infini. Quelle chance a-t-il de découvrir ce trésor ? Mais, à supposer que le sort lui soit enfin favorable et qu'il trouve l'emplacement, il lui faudra encore descendre au fond du gouffre...

Sur le rivage, des rochers dépassent du sol. Attachés à ses pieds, ils l'entraîneraient facilement. À tout hasard, il en dégage deux qu'il charge sur le bac, puis ils partent. Le souffle d'Outa-napishti les pousse de l'autre côté de la Passe de la Mort et ils entrent bientôt dans la mer vivante, de vagues et de vent.

— Où aller ? Où chercher ?

« Toutes les quêtes ont un commencement. Et ce commencement, c'est toi, ne l'oublie pas. »

Outa-napishti l'a entendu. Il le conseille encore, depuis sa terre, au-delà de la brume. Alors, Gilgamesh ferme les yeux et essaie de se recueillir. Mais tout le distrait : le battement de l'eau contre le bac, l'air dans ses cheveux et ses pensées qui parlent pour ne rien dire, comme dans une assemblée où chacun se coupe la parole.

— Comment ramener le calme ?

Un souvenir d'Enkidou lui répond. Il le revoit, ouvrant la marche sur le chemin de la Forêt des Cèdres. Il le revoit, chassant, et sa foulée souple effleure le sol. Enkidou, vent avec le vent, herbe avec l'herbe, gibier avec le gibier. Enkidou, si fluide qu'il se prêtait à tous les mélanges.

— Enkidou, mon ami, demeure à mes côtés. Prends ma main et conduis-moi à travers la steppe de mon cœur.

Et le puissant souvenir d'Enkidou efface toutes les pensées et s'impose.

Gilgamesh s'apaise. Peu à peu, il oublie la mer, son voyage de retour, sa quête, Outa-napishti, l'immortalité. Il n'entend plus que les battements de son cœur et Enkidou, à cet instant, disparaît à son tour.

Sous la mesure du cœur, il distingue un autre tempo. Plus lent, plus sourd. Il l'écoute longtemps. Il se laisse attirer. Le son vibre profondément, descend dans les racines du monde. Gilgamesh le suit, sent qu'il se transforme. Il devient pulsation, léger comme un parfum. On dirait... une odeur de jasmin !

Gilgamesh ouvre les yeux. C'est lui qui dirige l'embarcation. Sans en avoir conscience, il s'est installé à la place d'Our-Shanabi, pendant sa méditation. Autour de lui, l'air sent bon le jasmin. Ce n'est pas une hallucination. C'est l'Herbe de Jouvence ! Et si la mer en est parfumée en surface, c'est qu'elle est là, au fond ! Il a trouvé l'endroit !

Vite, il attache les rochers à ses pieds, plonge et se laisse entraîner dans la nuit du gouffre marin. Un milliard de bulles le conduisent dans sa chute. Bientôt, une lueur l'appelle. C'est l'Herbe. Elle resplendit. Sur un fond de sable clair, elle éclaire l'obscurité autour d'elle.

Gilgamesh la saisit et sa main se larde d'épines.

Il l'arrache, défait les liens qui retiennent les rochers et remonte.

— Gagné ! hurle-t-il en crevant la mer.

Le bac tangue sous les remous et Gilgamesh grimpe à bord, où il dépose son trophée.

— Regarde, Our-Shanabi. Je l'ai trouvée. Elle est à moi. Je vais vivre deux fois.

Our-Shanabi a repris le gouvernail. Maintenant, il cherche les vents qui portent vers la terre.

Pendant ce temps, Gilgamesh admire sa merveille. Il l'a étalée à la proue, pour qu'elle prenne ses aises. Penché sur elle, il respire son parfum, comme s'il lapait l'eau d'une source.

L'Herbe de Jouvence se laisse aimer. C'est un joyau. Un flux de vie, discret, circule en elle et fait frémir ses pétales. Elle est émue d'avoir été cueillie. Honorée de rencontrer l'être qu'elle va favoriser.

Gilgamesh, du bout des dents, arrache les épines plantées dans sa main, suce les piqûres. Le jasmin parfume déjà son sang, comme une promesse.

— La preuve que nous sommes faits l'un pour l'autre, n'est-ce pas ?

Il songe au mystère de sa découverte. Il songe

à son cœur, riche d'un trésor qu'il ignorait posséder.

— Dire que la réponse était en moi, toute prête. Elle attendait seulement que je pose la bonne question.

19

Lorsqu'ils retrouvent la terre...

Lorsqu'ils retrouvent la terre, une autre traversée les attend, par monts et par vaux...

En chemin, Gilgamesh échafaude des plans. Cette Herbe qu'il a conquise, il ne peut la garder pour lui seul. Il est roi. Il faut qu'il en fasse profiter son peuple.

— C'est ainsi que je ferai régner l'homme !

Les mots d'Outa-napishti ! Ils lui reviennent à l'esprit, comme s'il les inventait lui-même. Cela l'enthousiasme.

— Dès mon arrivée, dit-il à Our-Shanabi,

j'expérimente l'Herbe avec un malade sur le point de mourir. Je lui offre une seconde vie. Mon cadeau de retour. Puis, je confie la plante à mes meilleurs jardiniers. Ils trouveront un moyen de la multiplier, par bouturage, par marcottage. Nous en développerons la culture. Des jardins couverts d'Herbe de Jouvence !... Tu imagines cela, Our-Shanabi ? À la disposition de tous.

Et les projets se développent, se multiplient au rythme de la route qui se déroule, poussés par les rêves.

Un jour, enfin, ils parviennent en vue d'Ourouk. Cernée par son rempart, la ville semble flotter, comme une barque tranquille, sur la lumière fluide de la plaine. Gilgamesh s'arrête pour la contempler. Son cœur s'emballe. L'émotion du retour, mais aussi, c'est étrange, la crainte... Crainte de revoir ceux qu'il a oubliés, qui l'ont peut-être remplacé depuis longtemps. Crainte de retrouver les mille voix de sa ville, son activité incessante, les conflits, les appétits de chacun, le luxe du pouvoir. La solitude qui lui a tant pesé, le dénuement qui l'a épluché comme le racloir du tanneur, il a fini par les aimer. Et maintenant qu'il s'apprête à les quitter, il commence à les regretter...

Pourquoi pas renoncer ? Pourquoi pas vivre en nomade ? Ne plus subir les contraintes de sa ville, de sa fonction de roi ? Pourquoi ne pas prendre chaque jour tel qu'il s'offre, à la convenance de l'aube, et ne plus rien décider que pour soi-même ?...

Mais il ne tourne pas les talons. Il évoque ces hypothèses et les écarte, les unes après les autres. Il sait que sa ville et son peuple l'attendent.

— Ils ne se doutent pas du trésor que je leur rapporte, murmure-t-il en confidence à l'Herbe de Jouvence. Si je ne prenais pas la peine de te présenter à eux, ils ne te connaîtraient jamais. Quelle occasion gaspillée ! Je vais changer leur vie.

Et les paroles d'Outa-napishti parlent à nouveau en lui : « Tu seras immortel. Comme tous ceux qui ont honoré l'homme... tous ceux qui ont accompli une œuvre juste. »

— J'ai enfin découvert le moyen, soupire-t-il.

Et il reprend la route.

En passant à proximité d'un étang, l'envie le prend de se décrasser, de se vêtir de propre, avant d'entrer dans sa cité.

Il commence par baigner l'Herbe, longuement. La fatigue de la route et la poussière ont terni son éclat. Il veut lui redonner la fraîcheur qu'elle avait, au sortir de l'océan. Puis il la dépose sur la rive et entre à son tour dans le bain.

— Je ne serai pas long, lui dit-il, comme un amoureux à sa fiancée.

Il se laisse porter, imite la plante qui s'étalait pour mieux se nourrir de l'eau.

Mais un drame, déjà, se prépare à frapper.

Pendant qu'il se délasse, une ombre jaillit sur la rive. Une flèche vivante, gueule ouverte, qui se plante au centre de la cible : l'Herbe ! Elle l'avale d'un trait, fleurs, feuillage, épines et, son méfait consommé, retourne sous la plaine d'où elle était sortie. C'est un serpent noir.

Gilgamesh sent l'ombre passer. Il comprend. Il se jette hors de l'eau, se précipite sur la rive... Trop tard ! Le serpent atteint déjà son abri sous la terre. Il a dévoré le trésor, volé la nouvelle vie qui ne lui était pas destinée, et laissé en partant sa vieille peau, vestige de sa première vie achevée...

Alors, une poigne de bronze se referme sur Gilgamesh et broie son cœur. Il hurle de douleur, tombe à genoux, et reste, bouche ouverte, sans plus un cri, devant l'empreinte que son Herbe lui a laissée sur le sol.

Elle lui appartenait de droit. Il avait su la découvrir. Pourquoi ?...

Le jour passe sur lui. Il demeure figé, comme un dévot en prière. Les choses aussi se taisent alentour. Frôlements, grincements d'élytres, feulements lointains... La steppe collabore à son désespoir. Et la nuit vient le recouvrir pour dissimuler son chagrin.

Dans son sommeil éveillé, Outa-napishti lui rend visite. Hallucination ou réalité ? C'est bien lui, pourtant. C'est bien son visage paisible.

— Pourquoi m'as-tu trompé, lui reproche Gilgamesh. Je ne te demandais rien. Je m'en allais, vaincu. J'aurais fini par oublier. Pourquoi m'as-tu rappelé ? Pourquoi m'as-tu offert une chance ? Pour avoir le plaisir de me la confisquer ?

— Non ! Seulement pour que tu apprennes à chercher avec ton cœur. Tout ce que tu désires de mieux s'y trouve caché. Inutile de t'épuiser dans des quêtes au bout du monde.

Gilgamesh passe le reste de la nuit à méditer ces paroles et, lorsque le jour se lève, il découvre entre ses mains serrées la mue que le serpent a perdue.

— Vieille peau, marmonne-t-il.

Son visage est devenu lisse, presque transparent. Il a mué, lui aussi. L'Herbe de Jouvence et les projets qu'il en tirait commençaient à peser comme un fardeau. Le serpent l'a soulagé de ce poids. Sous la fatigue, maintenant, perce une légèreté. Il se sent disponible.

— Mais à quoi ?

— Ne te pose pas la question. Elle se posera d'elle-même. Et tu sauras y répondre, si tu cherches avec ton cœur.

Outa-napishti l'a quitté avec le matin, mais sa voix demeure.

— Cette vie en plus, c'était reculer pour mieux sauter. La crainte de la mort ne t'aurait pas quitté. Ni ta révolte ni ta violence. Ne te révolte plus jamais. Accepte ta vie, dès cet instant ! Tu ne l'as jamais dégustée en jouissant de ses mille saveurs. Tu l'as toujours dévorée, par peur de la perdre. Quitte cette peur. Deviens un gourmet !

Mais, cette voix... Qui parle, en réalité ?

Gilgamesh se retourne et voit Our-Shanabi s'éloigner. Il l'a veillé toute la nuit. Il a accompli son travail de passeur. Il l'a accompagné d'une rive à l'autre de lui-même. Maintenant, il s'en va.

Gilgamesh songe à ses propres nuits de veille, au chevet d'Enkidou.

— Mon doux ami, murmure-t-il, c'est toi qui m'as mis en chemin. Toi, qui m'as fait devenir ce que je suis.

Et Enkidou lui répond. À moins qu'il ne

s'agisse d'Our-Shanabi, d'Outa-napishti, ou de l'Herbe de Jouvence, ou du Jardin-des-Arbres-à-Gemmes, ou de Shamash, peut-être bien. Toutes ces silhouettes se confondent. Toutes parlent de la même voix.

— Chaque instant, dit-elle, contient une étincelle. Cherche-la et toute ta vie deviendra lumière. Ensuite, partage cette vérité avec ton peuple pour qu'elle se répande. C'est cette éternité qui t'attend, Gilgamesh. Elle se trouve au bout de ton chemin. Mais... acceptes-tu de le suivre ?

Gilgamesh regarde Ourouk devant lui. Il sourit. Il a fait la paix avec lui-même. Alors un mot, premier de sa nouvelle vie, s'élève de son cœur, parle dans l'air et prend la mesure du monde :

— Oui !

Épilogue

Gilgamesh s'en va. Il va franchir la porte principale de sa ville.

Le soleil se couche. Nous aussi, rentrons.

Quatre mille ans ont passé. Gilgamesh, immortel, nous accompagne à jamais. Gilgamesh, et son ami Enkidou...

Août 1993-Août 2003.

TABLE

Le Livre de Poche s'engage pour l'environnement en réduisant l'empreinte carbone de ses livres. Celle de cet exemplaire est de :
200 g éq. CO_2
Rendez-vous sur www.livredepoche-durable.fr

« Pour l'éditeur, le principe est d'utiliser des papiers composés de fibres naturelles, renouvelables, recyclables et fabriquées à partir de bois issus de forêts qui adoptent un système d'aménagement durable. En outre, l'éditeur attend de ses fournisseurs de papier qu'ils s'inscrivent dans une démarche de certification environnementale reconnue. »

Édité par la Librairie Générale Française - LPJ
(58 rue Jean Bleuzen, 92178 Vanves Cedex)

Composition Jouve
Achevé d'imprimer en Espagne par CPI
Dépôt légal 1re publication juillet 2014
61.6668.6/04 - ISBN : 978-2-01-000912-9
Loi n° 49-956 du 16 juillet 1949 sur les publications destinées à la jeunesse
Dépôt légal : février 2017